Les Éditions du Boréal
4447, rue Saint-Denis
Montréal (Québec) H2J 2L2
www.editionsboreal.qc.ca

LES PIERRES SILENCIEUSES

DU MÊME AUTEUR

Le Toucan, Boréal, coll. « Boréal Inter », 2011.

La Révolte, Boréal, coll. « Boréal Inter », 2012.

Destins croisés, Boréal, coll. « Boréal Inter », 2013.

Le Baiser du lion, Hurtubise, coll. « Atout », 2013.

Élizabeth Turgeon

LES PIERRES SILENCIEUSES

Boréal

Dépôt légal : 1er trimestre 2014
Bibliothèque et Archives nationales du Québec

Diffusion au Canada : Dimedia
Diffusion et distribution en Europe : Volumen

Catalogage avant publication de Bibliothèque et Archives nationales du Québec et Bibliothèque et Archives Canada

Turgeon, Élizabeth, 1951-

Les pierres silencieuses

(Boréal Inter ; 64)

Pour les jeunes.

ISBN 978-2-7646-2318-3

I. Titre. II. Collection : Boréal inter ; 64.

PS8639.U728P53 2014 jC843'.6 C2014-940162-0

PS9639.U728P53 2014

ISBN PAPIER 978-2-7646-2318-3

ISBN PDF 978-2-7646-3318-2

ISBN ePUB 978-2-7646-4318-1

PROLOGUE

Au temps des Mayas

Royaume de Palenque, il y a 1 398 ans.

Le soleil de midi dissipait le brouillard au-dessus de la Cité. Debout au sommet de la plus haute pyramide, le jeune Pakal observait les milliers de Mayas qui s'approchaient pour assister à la cérémonie du sacrifice.

Sa mère, la reine Zak Kuk, venait de gravir les dernières marches. Elle était accompagnée des prêtres coiffés de plumes, le visage peint en bleu.

Fébrile, la foule attendait. Un prêtre tendit à la reine un os de raie. Elle s'en saisit et, des deux mains, le leva au-dessus de sa tête tout en implorant d'une voix forte l'assistance des dieux. Alors seulement, le silence s'imposa et le brouhaha de la foule cessa.

Pakal retint son souffle. D'un mouvement brusque, la reine enfonça la pointe de l'os dans le bras de son fils. Le sang coula, la douleur le fit tressaillir et irradia tout son corps. Pakal refoula ses larmes. Il était un messager des dieux et son devoir exigeait qu'il les nourrisse de son sang.

Il regarda l'un des prêtres recueillir le précieux liquide

rouge sur des bandelettes. Puis, un autre prêtre les brûla. La fumée qui s'échappait de l'étrange brasier monta vers le ciel pour rejoindre les divinités.

Satisfaite, la foule commença à se disperser. Pakal et sa mère retournèrent au palais, où des serviteurs les accueillirent et soignèrent la blessure du garçon. On leur apporta ensuite deux gobelets ornés de cerfs et contenant un breuvage au chocolat. Pendant un moment, ils burent lentement, savourant cet instant de paix. Puis, la reine se tourna vers son fils et lui annonça avec solennité que le temps était venu pour lui de diriger la Cité.

— Mais… je n'ai que douze ans ! s'objecta faiblement Pakal. Je ne suis pas prêt à devenir roi !

La reine rassura son fils, lui promettant de l'assister durant les premières années de son règne. Et elle lui raconta l'histoire de leur ancêtre Uo :

— À cette époque, il n'y avait pas de pyramides ni de cités mayas, commença-t-elle. Uo a été le premier de notre famille à recevoir l'aide des dieux. À l'âge de douze ans à peine, il a sauvé notre peuple de la famine.

Intéressé, Pakal s'assit près de sa mère.

— Depuis l'âge de six ans, poursuivit-elle, Uo observait le ciel en compagnie d'un vieil homme. Ensemble, ils notaient les mouvements de la Lune, du Soleil, de Vénus et de Mars. Ils découvrirent que l'écoulement des jours et des saisons de pluie ou de sécheresse se reproduisait toujours de la même manière. Ils comprirent que la terre tournait sur elle-même, et que cette rotation durait une journée ; puis qu'elle tournait aussi autour du soleil pendant 365 jours, et ils appelèrent cette révolution « année ». À la fin de chaque année recommençait un nouveau cycle. Uo venait d'avoir douze ans lorsqu'il aperçut des paysans se rendant aux champs pour semer le maïs. Sachant que la saison des pluies serait encore longue à venir, Uo leur dit : « Non, ne semez pas tout de suite. Chac, le Dieu de la pluie, n'est pas prêt à arroser la terre. Si vous semez maintenant, vos graines sécheront dans le sol. Vous n'aurez pas de récolte et vos enfants mourront de faim. » Surpris qu'un jeune garçon se déclare l'intermédiaire des dieux, les Mayas obéirent. Uo savait que les pluies reviendraient le jour où le Soleil atteindrait son zénith dans le ciel. Alors, il attendit. Le jour venu, il appela son peuple et pria Yum Kaax, le Dieu du maïs. Puis, il dit aux paysans de semer leurs graines. Quelques jours plus tard, il pleuvait et la récolte fut bonne. Les Mayas conclurent que Uo pouvait s'adresser aux divinités qui gouvernaient l'univers, et il fut proclamé roi. Uo fit construire des temples et des pyramides à la gloire des dieux. Il exigeait que des ouvertures soient percées dans les murs pour qu'il puisse observer le déplacement des astres et des planètes, et ainsi être en mesure de prévoir les événements annuels.

Lorsque la reine Zak Kuk s'arrêta de parler, Pakal lui annonça qu'il avait pris sa décision : il acceptait de devenir roi.

*   *   *

Pakal régna sur le royaume de Palenque pendant soixante-huit ans. Il lança une ambitieuse campagne de travaux. Il fut le plus jeune souverain de l'empire maya, en plus d'être le plus aimé et le plus respecté. Il prit soin de faire noter, dans des codex fabriqués de lanières de cuir, les avancées des Mayas en astronomie, en médecine, en botanique, en mathématiques… Ses descendants suivirent son exemple. Les codex étaient conservés par les scribes et transmis à leurs enfants, afin d'en préserver le contenu. Il insista pour qu'y soient relatés tous les faits marquants de leur civilisation, car on ne devait jamais reproduire les mêmes erreurs. C'est ainsi que l'Histoire devait servir à instruire les hommes. Pour Pakal, c'était le seul moyen d'évoluer vers un monde meilleur.

1

L'hôpital d'Arequipa, au Pérou

Ce jeudi-là, une véritable pagaille s'était installée aux urgences de l'hôpital principal d'Arequipa, au Pérou. Les deux médecins et les trois infirmières qui étaient de garde couraient dans tous les sens. Il n'était que onze heures du matin et, déjà, une cinquantaine de personnes attendaient leur tour.

Une femme avait de la difficulté à respirer ; une autre, blessée à la main, avait besoin de points de suture ; un adolescent, la jambe transpercée d'une flèche, patientait sur une civière avant qu'on le conduise en salle d'opération ; un vieillard se plaignait de violentes douleurs à la poitrine ; deux bébés hurlaient dans les bras de leurs mères épuisées ; des écoliers toussaient à s'en arracher les poumons ; des accidentés de la route aux vêtements tachés de sang espéraient qu'on s'intéresse enfin à leur cas ; et, pour couronner le tout, une vingtaine de joueurs de soccer s'étaient présentés une heure plus tôt, souffrant tous d'un empoisonnement alimentaire. La plupart d'entre eux arboraient un teint verdâtre et vomissaient dans de trop petits sacs en papier.

Soudain, l'infirmière Teresa Flores perçut le cri de la sirène. Le hurlement s'amplifiait peu à peu.

— Oh non ! Pas encore ! s'exclama-t-elle.

Quelques minutes plus tard, un ambulancier poussait devant lui une civière sur laquelle un homme râlait.

— Nombreuses lésions par balle, instabilité des signes vitaux, hémorragies graves…, énumérait-il sans s'arrêter.

Un policier s'approcha. L'ambulancier lui demanda de s'éloigner :

— L'un de vos confrères a déjà tenté de l'interroger. Il a refusé de parler. Tout ce qu'on a pu obtenir, c'est son nom : Ramon Menchu. Maintenant, nous devons faire notre travail.

Le docteur Solis constata que le patient était atteint à quatre endroits : aux jambes et aux avant-bras. Aucune des blessures ne semblait fatale, mais il perdait beaucoup de sang. De toute évidence, le tireur avait voulu le torturer.

— Vous devez souffrir terriblement, laissez-moi vous injecter un peu de morphine, proposa le médecin en préparant une seringue.

— Non, s'opposa faiblement l'homme.

Avant de s'éclipser, le docteur l'informa :

— L'infirmière Flores va prendre soin de vous

en attendant qu'on vous opère. Si vous changez d'idée, dites-le-lui.

Le patient fut placé dans une pièce qui comptait au total huit lits, séparés par de simples rideaux. Ils étaient tous occupés.

Teresa saisit la fiche laissée par les ambulanciers et lut le nom du blessé :

— *Señor* Menchu… Ramon Menchu… C'est bien ça ? demanda Teresa sur un ton bienveillant.

Il fit « oui » de la tête, tout en en observant le visage souriant qui se penchait vers lui. Il était éclairé par des yeux incroyablement noirs et pétillants. Cette femme, à la fois sereine et sûre d'elle-même, lui inspirait confiance.

— Vous devriez accepter l'analgésique que le docteur vous a proposé, lui conseilla Teresa. Ça calmerait un peu vos souffrances.

D'une voix à peine audible, l'homme articula :

— Venez plus près… Je dois vous dire quelque chose de très important. J'ai trop attendu…

Son regard crispé par la douleur implorait son aide. Alors, Teresa approcha son oreille près de la bouche du blessé.

— Je suis un descendant des scribes de Pakal, le grand souverain maya…

Surprise, Teresa recula et le laissa reprendre son souffle. Serait-il Mexicain ? Ou originaire du Guatemala, du Honduras ou du Belize ? En tout cas, il devait venir d'Amérique centrale s'il était descendant des Mayas.

Elle avait remarqué que son accent différait du sien. Et le nom de « Pakal » lui rappelait maintenant quelque chose. N'était-ce pas celui qui n'avait que douze ans, lorsqu'il avait commencé à régner sur le royaume de Palenque ?

Quelques années plus tôt, Teresa avait visité la cité maya de l'État du Chiapas, au Mexique. Le récit de ce jeune homme, devenu roi si tôt, l'avait fascinée. Mais c'était une histoire si lointaine !

Constatant que Ramon Menchu était prêt à poursuivre ses explications, Teresa s'approcha à nouveau pour l'écouter :

— Il y a un précieux codex… au Mexique. Ma famille le cache depuis des générations. C'est un document de la plus haute importance…

Le *señor* Menchu haletait.

— Nous avons fait d'énormes sacrifices pour en assurer sa protection. Je suis…

Quelqu'un ouvrit brusquement les rideaux, interrompant les révélations du blessé.

Le bruit fit sursauter Teresa.

Elle se retourna vivement. Un individu de grande taille se tenait devant elle. Il avait un regard méprisant, presque haineux.

— Sortez ! ordonna-t-elle d'emblée, d'une voix

tremblante, surprise elle-même de la peur irrationnelle que lui inspirait l'étranger.

Sans avoir besoin de le lui demander, elle était certaine que l'homme n'était pas un parent de la victime. C'était évident. Le *señor* Menchu avait un teint cuivré, un nez fort et une large bouche. Il ressemblait à s'y méprendre aux Indiens péruviens, descendants des Incas. Alors que celui qui était devant elle avait la peau claire des habitants de l'Amérique du Nord.

Affolée, Teresa répéta son ordre d'une voix puissante :

— Je vous ai dit de sortir d'ici. Sinon, j'appelle le gardien...

L'inconnu la regardait, les paupières à demi closes, et le visage crispé d'un sourire dédaigneux. Il lisait dans les yeux de la femme la frayeur qu'il lui inspirait, et ça semblait lui plaire... Énormément.

Il reporta son attention sur Ramon Menchu tout en glissant une main dans la poche de son imperméable.

Croyant qu'il allait sortir une arme, Teresa ouvrit la bouche pour appeler à l'aide. Mais elle retint son cri en voyant Lola, l'une des infirmières, se faufiler par la fente du rideau :

— Teresa, ton service est terminé, annonça-t-elle avec autorité tout en s'approchant du lit pour vérifier l'état du patient.

L'intrus s'éclipsa rapidement. Teresa souffla.

— Tu travailles depuis cinq heures ce matin, dit Lola,

la tirant de ses pensées, et tu n'as même pas pris une minute pour te reposer !

Teresa se laissa tomber sur une chaise, réalisant tout à coup qu'elle était exténuée.

— José est arrivé, continua Lola. Il va te remplacer.

Teresa hocha la tête. Elle se sentait bizarre, toujours bouleversée par la peur qui l'avait si soudainement assaillie. Cet inconnu lui avait semblé diabolique, son expression était d'une telle froideur… Mais elle était trop fatiguée pour comprendre tout à fait ce qui venait de se passer.

— Ah oui, j'oubliais, ajouta Lola, ton mari t'attend au poste des infirmières.

Teresa se souvint qu'ils avaient prévu dîner ensemble. Fernando enseignait l'archéologie à l'université d'Arequipa. Comme il ne donnait pas de cours les jeudis, ils avaient pris l'habitude de manger à la Trattoria del Monasterio.

— Pourrais-tu aller le chercher ? demanda-t-elle à Lola tout en se levant pour parler au blessé.

Elle avait eu une idée. Fernando pourrait sûrement comprendre quelque chose au discours du malade.

— Mon mari, Fernando, vient tout de suite, annonça-t-elle au *señor* Menchu qui tremblait de tous ses membres. C'est un archéologue. Il a les compétences pour saisir le message que vous voulez me transmettre. Moi, en vérité, un « codex », je ne sais pas ce que c'est…

Et je vous assure que vous pouvez lui faire entièrement confiance.

Ramon Menchu se calma et hocha légèrement la tête pour indiquer qu'il patienterait.

Teresa s'éloigna du lit, posa son dossier sur une table haute et y inscrivit quelques notes. Puis, alors qu'elle s'apprêtait à sortir son stéthoscope, l'homme qu'elle avait chassé plus tôt fit à nouveau irruption dans le cubicule. Cette fois-ci, il avait une arme à la main.

Terrassée par la peur, Teresa était incapable du moindre mouvement. Elle ne pouvait détacher son regard de ces yeux à demi fous, dans lesquels elle pouvait lire le mépris le plus profond.

Le *señor* Menchu laissa échapper une longue plainte comme celle d'un animal blessé qu'on est sur le point de tuer.

Le cœur de Teresa s'arrêta de battre.

— *If I don't get it, nobody will*[1] ! articula l'homme d'une voix tranchante.

Fernando apparut derrière l'étranger et aperçut, l'espace d'une seconde, la crosse du revolver. D'instinct, il se jeta sur l'homme armé. Il le poussa violemment dans l'espoir qu'il perde l'équilibre, mais en vain : il avait déjà appuyé sur la gâchette. Le coup de feu éclata dans un

---

1. Si je ne l'ai pas, personne ne l'aura !

bruit assourdissant, aussitôt suivi des cris de détresse des autres patients.

Tandis que le tireur s'éclipsait, Teresa se précipita vers le blessé. Il venait d'être touché à la poitrine. Elle exerça une pression sur la plaie de toutes ses forces pour essayer de ralentir l'hémorragie.

— Approche-toi, Fernando. Tout de suite ! ordonna-t-elle à son mari. Il veut te dire quelque chose à propos d'un codex... Ne perds pas une seconde, il n'en a pas pour longtemps.

Fernando se pencha vers Ramon Menchu pour recueillir ses dernières paroles. L'homme fit un ultime effort :

— Un codex maya... caché... au Mexique.

Il articulait avec difficulté.

— Un codex ? Où est-il ? s'exclama Fernando, dont le cœur battait à tout rompre.

Le *señor* Menchu fixait quelque chose derrière Teresa et Fernando, tout en murmurant péniblement des mots à peine intelligibles :

— *Mexico, Tun, Pozo, Muculbil, Boca, Ch'een-ch'enki...*

Le blessé s'interrompit subitement.

Teresa et Fernando se retournèrent d'un seul mouvement et aperçurent une femme qui se tenait près de la porte, derrière eux. Elle portait le sarrau blanc des médecins, mais Teresa ne la connaissait pas et sut immédiatement qu'elle ne faisait pas partie du personnel de l'hôpital.

Voyant qu'elle avait été repérée, l'intruse quitta rapidement les lieux.

Lorsque Teresa et Fernando reportèrent leur attention sur Ramon Menchu, il était mort. Le pauvre homme n'avait pas eu le temps de leur révéler l'emplacement exact du codex.

— *Mexico, Tun, Pozo, Muculbil, Boca, Ch'eench'enki,* répétait Fernando, en fouillant dans ses poches pour trouver de quoi noter.

Se sachant épié par la femme au sarrau blanc, le blessé avait choisi de livrer un message ambigu.

Fernando était abasourdi par le secret que venait de dévoiler Ramon Menchu. Si le codex existait bel et bien, il pourrait avoir l'effet d'une bombe dans le milieu archéologique. Qui sait ce qu'il pouvait contenir ?

Un nouveau chapitre de l'histoire de la civilisation maya allait peut-être s'ouvrir…

2

La peur au ventre

L'après-midi de ce jeudi infernal, Teresa et Fernando quittèrent l'hôpital vers les seize heures. Les policiers les avaient longuement interrogés. L'infirmière et son mari n'avaient rien dit au sujet du codex. À part le tireur, qui s'était échappé, et la femme au sarrau blanc, personne ne semblait au courant des mystérieuses confidences de Ramon Menchu.

— Rentrons à la maison, lança Teresa, qui préférait oublier le restaurant.

Ils montèrent en silence dans la voiture, passablement secoués par les événements qu'ils avaient vécus. Fernando allait démarrer lorsqu'il réalisa que ses mains tremblaient.

— Attendons un peu, proposa Teresa.

Une pluie fine se mit à tomber.

— Qui est cet homme qu'on vient d'assassiner sous nos yeux ? demanda Fernando d'une voix étranglée. Et pourquoi l'a-t-on tué ?

La détonation avait creusé un espace dans sa tête. Il était tout près du revolver quand le coup était parti.

Teresa lâcha la main de son mari et tourna la clé de contact pour faire démarrer les essuie-glaces. Elle inspecta un moment les environs.

— Nous sommes peut-être en danger, murmura-t-elle, le cœur battant à tout rompre.

Heureusement, ils étaient stationnés dans un endroit achalandé, près d'un marché.

— Fernando, pourquoi n'as-tu pas révélé l'existence du codex aux policiers ? demanda Teresa.

— Toi non plus, tu ne l'as pas fait, se défendit Fernando.

— Parce que je me disais que tu avais tes raisons de taire l'information, répondit Teresa. Et je pense que c'est ce que souhaitait Ramon Menchu. S'il avait voulu que son message soit rendu public, il aurait eu amplement le temps d'en parler pendant son trajet vers l'hôpital.

— En effet, admit Fernando.

Il lui expliqua que les confidences de Ramon Menchu pourraient s'avérer de la plus haute importance. À la maison, il lui détaillerait la nature exacte d'un codex maya. Devant les policiers, toutefois, il avait hésité à révéler quoi que ce soit. Il préférait d'abord réfléchir.

— Et si on demandait conseil à David ? suggéra Teresa pendant que son mari démarrait la voiture.

— Bien sûr ! s'exclama Fernando.

Cette idée les rassura tous les deux. Ils avaient connu les Québécois David Fortier et Marie Lajoie l'année précédente. Leur fille Marilou, que tout le monde appelait affectueusement Lou, était venue à Arequipa pour parfaire son espagnol dans le cadre d'un échange étudiant[1]. L'été suivant, Pablo, le fils de Teresa et Fernando, s'était rendu au Québec pour y apprendre le français.

Alors que Lou participait au projet en terre péruvienne, elle avait vécu avec Pablo une série d'événements dramatiques. Les deux adolescents avaient été entraînés au cœur d'une invraisemblable saga qui aurait pu leur coûter la vie. Inquiets, Marie et David s'étaient rendus à leur tour au Pérou. Grâce à leurs compétences respectives, ils avaient su prêter main-forte à Ernesto Quispe, le détective que Teresa et Fernando avaient engagé pour retrouver Lou et leur fils. Leur aide avait été inestimable.

Les parents de Lou étaient tous deux experts dans le domaine de la criminalité. Marie Lajoie était responsable des enquêtes judiciaires à la Sûreté du Québec, tandis que David Fortier menait des investigations et des filatures pour le compte de particuliers.

---

1. Ces événements sont relatés dans le livre *Destins croisés*, de la même auteure, publié aux Éditions du Boréal, coll. « Boréal Inter », 2013.

L'idée de Teresa était bonne. Marie et David pourraient sans aucun doute les aider à comprendre les implications du drame dont ils venaient d'être témoins.

Arrivés à la maison, Teresa et Fernando constatèrent que leur fils Pablo était déjà revenu du collège. Il était justement en ligne avec Lou. Ou plutôt, ils étaient *encore* en ligne. Toute la journée, ils échangeaient des messages texte, et le soir, ils se donnaient rendez-vous sur Internet, devant leur webcam.

Fernando se rappelait qu'à son époque, c'était bien différent. L'espace géographique était souvent une barrière aux relations amoureuses. Aujourd'hui, la distance n'érodait en rien l'attachement que Lou et Pablo avaient l'un envers l'autre.

— Tu peux lui dire que je veux parler à son père ? demanda Fernando à Pablo. Et fais vite !

— Pourquoi tu ne prends pas ton ordinateur ? rétorqua Pablo.

— Voyons, tu es déjà en ligne avec le Canada… Passe-moi David ! ordonna-t-il d'un ton cassant.

Pablo grommela :

— Ouais… quand j'aurai terminé.

Heureusement, Lou avait aperçu Fernando sur son écran. La discussion, qui aurait pu tourner en dispute, tomba à plat.

Lou salua Fernando en espagnol, puis elle cria en français à l'intention de son père :

— Papa ! Papa ! Viens vite, Fernando veut te parler. Il a l'air plutôt stressé.

Fernando sourit. Il comprenait un peu le français. La copine de son fils avait un tempérament franc et impulsif qui lui plaisait beaucoup.

À regret, Pablo céda sa place. Fernando s'assit devant l'ordinateur.

— On a un gros problème..., commença-t-il en soupirant.

Fernando s'exprimait en anglais avec David et Marie, qui ne parlaient pas l'espagnol.

Lou apparut un instant dans un coin de l'écran :

— Je peux vous écouter ? demanda-t-elle en anglais.

Pablo posa la même question à son père.

— Oui... oui, acquiesça Fernando.

Puis, il ajouta, à l'intention de David et de Marie :

— Nous n'avons pas encore eu le temps de parler à Pablo du drame qui vient de se dérouler...

Il inspira profondément et poursuivit :

— Ce midi, nous avons vécu des moments terribles à l'hôpital d'Arequipa. Terribles... Je laisse Teresa vous raconter le début de l'histoire.

Teresa s'assit à la place de Fernando, et elle entreprit de relater l'entrée du pauvre Ramon Menchu à l'urgence. Elle mentionna qu'il s'agissait d'un hispanophone, mais qu'il n'était pas originaire du Pérou. Elle souligna que son accent lui était étranger. Elle supposait qu'il venait probablement d'Amérique centrale ou du Mexique, car il s'était présenté comme un descendant des scribes de Pakal…

Continuant, Teresa mentionna l'emplacement des blessures par balle et le refus du blessé de recevoir de la morphine. Elle parla ensuite de l'effort surhumain qu'il avait fait pour tenter de lui transmettre ses dernières volontés. Elle rapporta du mieux qu'elle le put ce qu'elle avait entendu. Enfin, elle signala l'apparition soudaine de l'étranger, dont le regard l'avait terrorisée. Avant de céder sa place à Fernando, elle émit l'hypothèse qu'on avait pu torturer Ramon Menchu dans le but de lui faire avouer son secret.

Fernando raconta la suite : le coup de feu, la mystérieuse femme au sarrau blanc, le message du mourant… Ses mains tremblaient lorsqu'il confia à ses amis québécois que les dernières paroles de Ramon Menchu avaient été, selon toute vraisemblance, des indices qui devaient servir à les mettre sur la piste d'un codex maya.

Teresa intervint de nouveau, ajoutant que la femme au sarrau blanc ne pouvait pas avoir saisi les propos tenus par le blessé. Elle-même n'avait pu entendre un seul mot de la mystérieuse confidence que Ramon Menchu avait faite à son mari, et pourtant, elle n'était qu'à quelques pas du mourant.

— Par contre, précisa-t-elle, elle a sûrement entendu Fernando demander à Ramon Menchu où se trouvait l'emplacement du fameux codex.

Teresa venait à peine de terminer sa phrase que David intervint :

— Est-ce que vos portes et vos fenêtres sont verrouillées ?

— Euh… non ! répondit Fernando.

— Alors, tous les trois, faites le tour de la maison et assurez-vous que toutes les entrées sont bouclées. Je vous attends.

Teresa et Fernando échangèrent un regard. Ils étaient tout à coup paralysés par la peur. Les images de Ramon Menchu baignant dans son sang ressurgissaient dans leurs pensées.

C'est Pablo qui les secoua en lançant :

— Réveillez-vous ! David a demandé qu'on ferme toutes les issues.

Ils se levèrent, malgré le choc. En silence, comme des automates, ils verrouillèrent toutes les portes et les fenêtres de la maison.

3

Le soutien des Canadiens

Lorsqu'il reprit place devant l'ordinateur, Fernando demanda à David :

— Crois-tu réellement que nous soyons en danger ?

— C'est possible, répondit David. Je pense que la femme en sarrau blanc que tu as décrite avait pour mission de s'assurer que Ramon Menchu était bien mort. Rappelle-toi : elle est arrivée juste après le coup de feu… Et plutôt que de trouver l'homme inconscient, elle a vu Fernando, penché sur le malade, occupé à recueillir ses dernières paroles. Donc, elle et son complice pensent que vous connaissez l'emplacement du codex ou, en tout cas, savent que Menchu vous a confié quelque chose. À mon avis, ils ne s'en prendront pas à vous tout de suite… Le meurtre vient à peine d'être commis et la police est sur les dents. Mais vous pouvez être certains d'une chose : ils sont autour, ils vous observent, et ils ne vous lâcheront pas d'une semelle. Où que vous alliez, ils vous suivront en espérant que vous les conduirez au codex.

Fernando avala sa salive. Pablo et sa mère se regardèrent, découragés.

— Maintenant, j'aimerais que tu m'expliques quelque chose, Fernando : qu'est-ce qui a pu pousser des gens à torturer un homme de façon si brutale ? Et, ce… « codex maya », de quoi s'agit-il, exactement ?

Tous écoutaient attentivement, curieux d'entendre la réponse.

— Il faut d'abord que je replace tout ça dans son contexte, commença Fernando. La civilisation maya…

— Papa ! l'interrompit Pablo. Va au plus simple !

Il connaissait la propension de son père à se perdre dans d'interminables détails.

— Bon, bon… d'accord, acquiesça Fernando.

Il expliqua qu'un codex, pour les Mayas, était une sorte de livre confectionné à l'aide de longues bandes d'écorce, de fibres végétales ou de cuir repliées en accordéon. Comme il s'agissait, dans la culture maya, de biens très précieux, ils étaient souvent recouverts d'une peau de jaguar.

Les scribes mayas avaient rédigé des milliers de codex. Ils constituaient les archives de leur civilisation. Malheureusement, la plupart des codex avaient été détruits lors de la conquête espagnole. Les *conquistadors,* ces conquérants venus à la découverte du Nouveau Monde, les auraient associés à des manuels de sorcellerie. On n'en aurait sauvé que trois, à moitié ravagés par le temps : le codex de Dresde, celui de Madrid et celui de Paris. Chacun d'eux porte le nom de la ville où il est préservé, à l'abri dans un musée. Ils traitent de rituels religieux, de prophéties, d'astronomie… Le codex de Dresde, par exemple, contient des tables de calcul qui ont été utilisées pour suivre les phases de la Lune, et les éclipses de Vénus et de Mars.

— Vous devez savoir, poursuivit Fernando, que la civilisation maya a été l'une des plus raffinée et organisée au monde. Les Mayas étaient des génies en mathématique et en astronomie. L'empire maya n'a d'ailleurs jamais été conquis. Il a plutôt mystérieusement décliné…

Pour leur montrer à quel point cette société était avancée, Fernando leur raconta que des experts avaient découvert que les Mayas avaient estimé la durée du mois lunaire avec une précision telle, qu'elle s'écartait de seulement vingt-quatre secondes de celle fournie par les horloges atomiques d'aujourd'hui.

— Incroyable ! s'étonna David.

— Vous comprenez que la découverte d'un codex en bon état pourrait nous révéler des choses importantes sur la culture maya. Peut-être contiendrait-il des informations concernant leur pratique de la médecine, de l'agriculture…

— Il n'y a même pas de trésor ! s'exclama Lou, déçue, en faisant momentanément irruption devant la caméra.

— Je suis un scientifique, s'offusqua Fernando. Je ne prête pas attention aux ragots, mais...

Il s'interrompit, et Lou insista :

— ... aux ragots ?

Fernando continua en baissant le ton :

— Certaines rumeurs courent à l'effet qu'il existe un codex qui conduirait à... à...

Voyant que son père hésitait à poursuivre, Pablo suggéra, mine de rien :

— Les assassins de Ramon Menchu étaient peut-être au courant de ces ragots, ce qui les aurait incités à s'en prendre à lui.

Presque à regret, Fernando raconta qu'on prétendait que certains codex permettraient de retrouver les tablettes d'or de l'Altan, une ville détruite par un tremblement de terre en l'an 666 avant notre ère.

— WOW ! s'exclamèrent en même temps Lou et Pablo.

David coupa court à leurs démonstrations de joie en leur rappelant qu'il ne s'agissait que d'une hypothèse. Depuis toujours, les hommes rêvaient de trésors cachés, de potions miracles, de magie...

— Et les Mayas ? demanda Marie à Fernando. Excuse mon ignorance... Je sais qu'il y a encore beaucoup de Mayas en Amérique centrale, mais quand on parle de la « civilisation maya », on fait référence à quelle époque ?

Fernando répondit que les archéologues faisaient

commencer l'histoire des Mayas 2 000 ans avant notre ère, et que le peuple maya avait prospéré jusqu'en 1502, date qui marque le début de la conquête espagnole. Mais la période classique, celle qui a vu les Cités mayas être érigées et évoluer, s'est étendue de 250 à 900 de notre ère. Après, les cités se seraient lentement dépeuplées.

— Et ils occupaient quelles régions ? voulut encore savoir Marie.

— Ils occupaient un territoire qui correspond aujourd'hui à une partie du Mexique, du Guatemala, du Salvador, du Honduras et du Belize, expliqua Fernando.

— Bien, conclut David, satisfait des explications fournies par son ami.

Celles-ci lui permettaient de mieux comprendre la valeur que pouvait avoir le codex. Par contre, il était plus difficile de se faire une idée précise de l'ampleur de la menace qui pesait sur la famille de Fernando maintenant qu'ils avaient reçu les confidences de Ramon Menchu.

David jeta un regard en direction de Marie. Il lut dans ses yeux à quel point elle était préoccupée par la sécurité de leurs amis péruviens.

— Fernando, qu'est-ce que tu as l'intention de faire, maintenant ? demanda David. Si tu n'as pas parlé du codex aux policiers, c'est que tu dois avoir quelque chose en tête.

— Je vais communiquer avec Ricardo Estrella, un confrère spécialiste de la civilisation maya, et lui dresser un portrait de la situation. Il saisira peut-être le sens des indices que nous a laissés Ramon Menchu. J'aimerais avoir son opinion. Il n'est pas exclu qu'il s'agisse d'une histoire montée de toutes pièces.

— Je te le déconseille, trancha vivement David. Tu le mettrais en danger, lui aussi. Si tu désires absolument l'informer, parle d'abord aux services de police. Et attends-toi, si tu le fais, à être questionné sur les confidences que tu as reçues de Ramon Menchu. Ils voudront que tu répètes mot à mot ses dernières paroles.

— Non, je ne discuterai pas de ça avec les autorités, dit Fernando. La nouvelle de la découverte d'un codex serait aussitôt ébruitée et diffusée à la télévision, à la radio et sur Internet. J'ai l'intention de me rendre au Mexique et d'éviter toute cette publicité, du moins pour l'instant. Parce que si ce document existe bel et bien, tôt ou tard, il fera les manchettes.

Tous furent surpris de cette déclaration, et de la rapidité avec laquelle Fernando avait pris une telle décision.

— Je vais au Mexique, pour chercher le codex. Je le trouverai, précisa Fernando sur un ton catégorique.

— J'imagine que je ne peux pas t'en dissuader… demanda David.

— Non, certainement pas ! concéda Fernando, un peu adouci. Mais avant tout, nous aimerions, Teresa et moi, que vous nous aidiez à voir clair dans toute cette histoire. Nous voulons comprendre ce qui s'est passé ce matin. Qui a pu tuer ce pauvre Ramon Menchu et pourquoi ?

Marie se glissa à la place de David et prit la parole :

— Je pense que l'hypothèse émise par Teresa est juste : on a torturé Ramon Menchu dans le but de lui faire révéler l'emplacement du codex. Il y a de fortes chances que la femme au sarrau blanc et son complice aient été ses bourreaux. Du moins, tout porte à croire qu'ils ont participé aux événements qui ont mené ce pauvre homme à l'hôpital. Si l'on se fie aux paroles rapportées et à l'accent décrit par Teresa, l'homme, au moins, puisque la femme est restée muette, serait anglophone, probablement Américain. Peu importe leur origine, ces deux-là semblent prêts à tout pour obtenir ce qu'ils veulent. Mais il nous faudrait plus d'informations...

Elle s'interrompit et écrivit quelques notes dans un calepin. Ensuite, elle suggéra que Teresa et Fernando fassent appel à leur ami, le détective Ernesto Quispe, qui leur avait déjà été d'une aide précieuse.

— Au fait, travaille-t-il toujours à Arequipa ?

Marie avait posé la question parce qu'Ernesto était un homme assez âgé. Lorsqu'elle l'avait connu, à Buenos Aires, en Argentine, il avait manifesté le désir de prendre bientôt sa retraite.

— Oui, il travaille toujours, l'assura Fernando, et avec la même équipe. Je suis passé chez lui récemment.

Fernando voyait régulièrement l'enquêteur, une

façon pour lui de payer sa dette, en quelque sorte. Lorsque Ernesto avait aidé à sauver la vie de Lou et de Pablo[1], il avait refusé toute rémunération pour ses services. Il préférait, en guise de paiement, recevoir des cours privés d'archéologie de l'éminent professeur Fernando Sanchez. Ernesto Quispe était un passionné d'histoire inca !

— Excellent ! s'exclama Marie. Ernesto sera en mesure de nous donner un coup de main pour identifier l'homme qui a tué Ramon Menchu et sa complice. En sa qualité de détective, il aura accès aux caméras de sécurité du poste de douanes de l'aéroport, et il pourra vérifier les entrées et les sorties de voyageurs répondant à leur signalement.

Elle s'arrêta un moment et prit le calepin sur lequel elle avait inscrit quelques notes au cours de leur conversation.

— Je me demande aussi où on a trouvé le blessé… Qui a appelé l'ambulance ? Nous devons recueillir le plus d'information possible sur ce Ramon Menchu. Que faisait-il à Arequipa ? Quel est son pays d'origine ?

David suggéra que Fernando envoie un courriel à Ernesto pour lui poser directement toutes ces questions.

— Oui, ce serait l'idéal, acquiesça Fernando. Je ne dirai rien des derniers mots de Ramon Menchu. Mieux vaut garder ce renseignement pour nous.

---

1. Voir *Destins croisés,* Boréal, coll. « Boréal Inter », 2013.

— Excellente idée, approuva David. Personne n'en parle à qui que ce soit.

— Je quitterai le Pérou aussitôt que je trouverai une place dans un avion, ajouta Fernando d'un ton ferme.

Pablo, souriant, informa tout le monde qu'il avait l'intention d'accompagner son père au Mexique. Aussitôt, la tête de Lou surgit au premier plan :

— Moi aussi ! Je paierai mon billet avec mes économies.

Surpris, Fernando et David éclatèrent de rire. Ces deux-là étaient si amoureux…

— Bien, dit David en poussant gentiment sa fille pour se refaire une place dans le champ de la caméra. Fernando, suggère-moi un lieu de rendez-vous. J'irai te donner un coup de main. Avec un bon enquêteur, tu devrais trouver ton codex en moins de deux.

Cette fois, c'est Marie qui prit la parole :

— Je pense que vous avez besoin d'un garde du corps. Je me joins à vous et je veillerai sur votre sécurité.

Teresa ajouta que l'hôpital lui devait plus de trois semaines de vacances. Elle serait donc du voyage, elle aussi.

Ils se laissèrent après s'être donné rendez-vous à Puerto Morelos, un village campé au bord de la mer des Caraïbes, à un peu moins d'une demi-heure de l'aéroport de Cancún, au Mexique. Là, ils prendraient le temps d'établir un plan d'action. Fernando et sa famille y seraient plus en sécurité qu'à Arequipa, où on les épiait peut-être.

Marie suggéra à Fernando de demander à Ernesto Quispe de surveiller leur domicile jusqu'à leur départ pour le Mexique. Mieux valait être prudents.

Teresa et Fernando s'éloignèrent du poste d'ordinateur et Pablo reprit sa place. Il commença aussitôt à chercher un appartement à Puerto Morelos ainsi qu'un vol à destination de Cancún. Il trouva rapidement, avec la compagnie aérienne chilienne LAN Airlines. L'avion partait d'Arequipa à 8 h 45 le matin du samedi 2 novembre, soit le surlendemain, et arrivait à Cancún à 14 h 25 la même journée. Ils avaient un peu plus de trente-six heures pour se préparer. C'était plus que suffisant.

Avec un peu de chance, se disait Pablo, Lou serait déjà là, à l'attendre, lorsqu'ils atterriraient à Cancún… Il lui envoya par courriel les détails de leur itinéraire ainsi que l'adresse de l'appartement où ils logeraient tous.

Même si Lou et lui communiquaient cent fois par jour, Pablo appréhendait un peu ces retrouvailles. « Et si Lou ne m'aimait plus ? » pensa-t-il tristement, en rabattant le couvercle de l'ordinateur portable.

4

Piège informatique

Le matin de ce vendredi 1er novembre, Adam Hill attendait impatiemment l'arrivée de José Santana, un spécialiste en informatique fraîchement diplômé de l'Université de Lima au Pérou. Adam se trouvait dans un appartement loué situé à quelques pas du musée Santuarios Andinos d'Arequipa, celui-là même où était conservé le corps momifié par le froid de la petite inca Juanita, surnommée la princesse des glaces[1].

Adam regarda sa montre : Santana avait déjà une demi-heure de retard. Il détestait qu'on le fasse attendre. Il n'avait pas de temps à perdre. Si ce José Santana avait su à qui il avait affaire, il aurait certainement agi autrement.

Adam était originaire de Bandera, au Texas, la capitale des cowboys. Il avait milité durant de nombreuses années au sein de l'Association des utilisateurs d'armes à feu afin que les revolvers, fusils d'assaut, mitraillettes et

---

1. Voir *Destins croisés*, Boréal, coll. « Boréal Inter », 2013.

autres armes du genre demeurent en vente libre aux États-Unis. Il avait toujours prétendu les armes ne rendaient pas les gens plus violents, et qu'il n'y avait aucune raison pour qu'on en contrôle la distribution. Il était même contre l'instauration d'une période d'attente pour leur achat, affirmant que cela ne pouvait éviter les crimes passionnels ou les suicides. De toute façon, il s'en fichait. On vivait dans un pays libre ! Les gens avaient bien le droit de se tuer ou de s'entretuer s'ils en avaient envie.

Adam s'était souvent occupé lui-même, et sans demander l'autorisation de qui que ce soit, d'éliminer les opposants à la libre circulation des armes. Il travaillait à l'époque pour un homme impliqué dans la production de munitions. En se débarrassant des contestataires, Adam cherchait ni plus ni moins à sauver son emploi !

Cette époque était révolue. Adam avait changé de boulot ; il détestait la routine. Depuis dix ans, il s'adonnait à la chasse au trésor. Il se renseignait et glanait des informations qu'on prenait souvent pour des légendes ou des mythes, mais qui comportaient finalement leur part de vérité… Il se rendait sur les lieux qui avaient vu naître l'histoire et il fouillait jusqu'à ce qu'il trouve ce qu'il cherchait. Il avait ainsi retiré de l'épave d'un bateau coulé au large de Terre-Neuve des vases chinois de grande valeur. Il avait suivi des indigènes en Amazonie pour échanger des masques anciens contre des objets de pacotille. Et il avait mis à sac des sites encore inconnus des archéologues… À peu près tout l'intéressait. Il était maintenant sur une affaire de codex maya. On lui avait dit qu'il pourrait en toucher une fortune. Alors, il allait faire l'impossible pour récupérer le document avant que d'autres le fassent à sa place.

Adam regarda ses hommes de main, Ali et Bo Jimenez. Les deux frères costaricains surveillaient l'arrivée de l'informaticien par la fenêtre du salon. En les observant, Adam repensa à tout ce qui s'était passé au cours du dernier mois, et il ne put réprimer sa colère :

— Quel gâchis ! Quels abrutis ! aboya-t-il, secouant la tête avec rage.

Surpris, ses deux gardes du corps lui jetèrent un rapide coup d'œil. Ils comprenaient parfaitement à quoi il faisait allusion, mais ils reportèrent leur attention sur la rue, faisant mine de n'avoir rien entendu, ce qui eut pour effet de mettre Adam encore plus en colère.

Pourtant, toute cette histoire avait bien commencé… Il avait chargé Bo et Ali d'enlever un Mexicain qu'ils épiaient depuis le jour de la mort de son père. Adam consulta la date sur sa montre : ça faisait presque un mois aujourd'hui. Les deux frères l'avaient pris en filature lorsqu'il avait quitté sa ville natale de Valladolid. L'homme traînait avec lui une longue boîte qui, croyaient-ils, pouvait contenir le codex. Ce genre de document était très fragile et devait être conservé dans un étui hermétique.

Or, le coffret qu'il transportait aurait tout à fait pu convenir au déplacement d'une telle pièce.

Bo et Ali avaient attendu le moment opportun pour se saisir du Mexicain. Mais il circulait toujours dans des véhicules publics, et jamais il ne pénétrait dans une maison ou un appartement où ils auraient pu facilement le cueillir, loin des regards indiscrets. Il voyageait de ville en ville, dormant à bord des autobus ou des trains, et ne s'arrêtant que dans des gares achalandées. Ils l'avaient suivi ainsi jusqu'à la gare de Puerto Quetzal, au Guatemala. Là, comme à son habitude, l'homme s'était rendu au guichet et avait acheté un billet. Les frères Jimenez s'étaient aussitôt présentés devant le commis et ils avaient demandé deux passages pour la même destination. Cette fois, ils partaient vers le pays voisin : le Salvador.

Après plusieurs jours de route, Bo et Ali étaient épuisés. Ces transports à bas prix offraient un minimum de confort. La plupart du temps, les sièges étaient défoncés et les freins faisaient un bruit d'enfer. Les deux frères n'avaient pas fermé l'œil depuis trop longtemps. Écrasés de fatigue, ils s'étaient assis dans le véhicule et s'étaient endormis. Trois heures plus tard, ils s'étaient réveillés pour se rendre compte que le Mexicain n'était jamais monté à bord de l'autobus.

Découragés, ils avaient aussitôt rebroussé chemin. De retour à Puerto Quetzal, ils avaient interrogé ici et là des habitants et finalement retrouvé sa trace : il s'était embarqué dans un bateau qui devait décharger à Callao, le port principal du Pérou.

Bo avait alors téléphoné à Adam qui avait envoyé à Callao cinq de ses meilleurs employés, déguisés en policiers. Adam leur avait donné l'ordre d'arrêter le porteur du codex aussitôt qu'il mettrait les pieds en sol péruvien.

Le bateau était bien arrivé, mais les hommes d'Adam Hill n'avaient pas trouvé le Mexicain. Ils avaient interrogé quelques membres de l'équipage pour apprendre qu'une petite embarcation était venue chercher un passager en face de Chimbote.

Adam ne s'était pas laissé démonter. Il avait eu la bonne idée d'envoyer à l'avance un enquêteur dans chacun des principaux ports du pays : Paota, Salaverry, Chimbote, Pixco, Ilo et Matarani. Il s'était donc empressé de communiquer avec son détective basé à Chimbote. Ce dernier avait bel et bien repéré l'homme recherché. Malheureusement, comme il était seul, il n'avait pu le suivre que sur quelques kilomètres, après quoi il avait été semé.

Adam Hill enrageait ! Mais un espoir subsistait : le porteur du codex tenterait probablement de rencontrer Ricardo Estrella, un professeur d'histoire maya, ami de son défunt père. Adam avait donc fait surveiller la résidence d'Estrella à Arequipa. Et ça avait été un succès ! L'homme avait été kidnappé à quelques pas de là, toujours chargé de sa longue boîte. On l'avait emmené en dehors de la ville, dans une maison abandonnée.

L'enlèvement avait eu lieu trois jours plus tôt... À ce souvenir, Adam eut un pincement au cœur. Il se revoyait, debout devant la table sur laquelle était posé le coffret, et sur le point d'en rompre la serrure. Il se rappelait la vague de fébrilité et d'excitation qui l'avait envahi à la pensée de mettre la main sur le précieux trésor... Foutaises ! Il n'y avait dans le coffre que des bandes de journal empilées les unes sur les autres. Le paquet était un leurre, un appât avec lequel le fugitif avait tenu Ali et Bo à distance du véritable emplacement du codex. Aussitôt, les soupçons d'Adam s'étaient portés sur la fille du Mexicain : Claudia. Son père aurait sans doute voulu s'en éloigner pour la protéger. Adam avait téléphoné au Mexique et fait fouiller leur maison. On avait interrogé les voisins, les professeurs, et les amis de l'adolescente. Elle demeurait introuvable...

Même sous la torture, le Mexicain avait refusé de divulguer l'endroit où se cachait Claudia. Pourtant, il avait dû souffrir terriblement. Adam s'était demandé si son père n'aurait pas flanché plus vite... Il en était venu à la conclusion qu'après la première balle, il aurait vendu son fils, ses filles, sa femme, sa mère, son père, son grand-père... et jusqu'à son chien !

Puis la police était arrivée, interrompant l'interrogatoire. Ils avaient tous dû fuir avant que le travail ne soit terminé.

Le blessé avait été emmené à l'hôpital d'Arequipa.

C'est là que l'histoire devenait intéressante : il s'était confié à une infirmière et à un homme qui se trouvaient à son chevet. Il avait été facile de découvrir l'identité des deux personnes. Il s'agissait de l'éminent professeur de la civilisation inca Fernando Sanchez et de son épouse, l'infirmière Teresa Flores.

Maintenant qu'il les savait en possession du secret, il n'avait plus qu'à attendre que les Sanchez le conduisent jusqu'à l'endroit où était caché le codex.

Et Adam était prêt à tout pour l'obtenir... À tout !

Le tintement de la sonnette de la porte interrompit ses réflexions. José Santana arrivait enfin !

Bo invita l'informaticien à passer au salon, où patientait Adam Hill. Aussitôt, le jeune homme sortit son ordinateur de son sac, le posa sur la table et le mit en marche. Puis, il saisit son cellulaire et en scruta l'écran.

Sans plus attendre, Adam entreprit d'exposer à José Santana la nature du travail pour lequel il l'avait engagé. Mais Santana ne l'écoutait pas : il semblait plus intéressé par son téléphone portable que par les propos d'Adam. Pendant que ce dernier s'évertuait à lui expliquer les détails de l'opération, il consultait ses messages textes et se permettait même d'en envoyer quelques-uns. Adam regardait les doigts de l'informaticien glisser à toute vitesse au-dessus du minuscule clavier et ça le rendait fou !

Malgré tout, il répéta les enjeux de la mission : infiltrer l'ordinateur de Fernando Sanchez et celui de son fils, Pablo. Le professeur d'archéologie devait avoir un portable qu'il transportait entre l'université et son domicile, et le fils en possédait certainement un, lui aussi. Au Pérou, il n'était pas rare que les enfants de familles aisées aient chacun leur propre appareil.

Enfin, l'informaticien leva les yeux de son téléphone, rangea ce dernier dans sa poche, puis suggéra, d'une voix traînante :

— Eh bien... on peut se poster devant la résidence des Sanchez et intercepter leur signal Wi-Fi. Si on réussit, on pourra pénétrer dans leurs ordinateurs, à condition, bien sûr, qu'ils ne soient pas protégés par des mots de passe.

Dans un coin de la pièce, Bo et Ali Jimenez faisaient mine de ne pas porter attention à la discussion. L'un examinait ses ongles, tandis que l'autre détaillait les tableaux qui ornaient les murs.

— Non ! lâcha Adam.

Il était hors de question de stationner une voiture devant la demeure de Fernando Sanchez pour faire de l'écoute électronique. Surtout pas après ce qui s'était passé la veille, à l'hôpital d'Arequipa : Fernando Sanchez et sa femme avaient bel et bien été témoins de l'exécution du blessé et tous deux avaient vu le tireur ! Les forces de l'ordre allaient surveiller leur quartier très étroitement.

En plus, Adam ne doutait pas que Sanchez avait saisi

sur-le-champ la valeur historique du codex maya. La preuve : il n'en avait pas soufflé mot aux policiers lors de son interrogatoire. Adam avait ses sources. Si Fernando Sanchez avait divulgué quoi que ce soit à la police, il l'aurait su.

Son attention se reporta sur le jeune homme au moment où il ressortait son cellulaire de sa poche. Avant qu'il ne reprenne ses activités, Adam insista avec vigueur :

— Il y a bien un autre moyen d'intercepter les courriels de ces gens ! articula-t-il sans cacher son mécontentement.

Après une discussion de quelques minutes, il obtint de José Santana une solution de rechange, mais l'informaticien avait besoin, avant toute chose, de connaître l'adresse électronique de Pablo. Il se connecta à Facebook et trouva ce qu'il cherchait en quelques minutes. Muni de cette information, il envoya un message au garçon. Le courriel contenait un lien créé sur mesure pour attirer une personne de son âge. Si Pablo l'activait, il ouvrirait toutes grandes les portes de sa vie privée.

Pablo mordit à l'hameçon à pleines dents. Santana avait vu juste : il avait offert « gratuitement » au garçon un programme d'émoticônes, ainsi que des jeux en ligne très populaires. Lorsque Pablo avait cliqué sur le lien, José Santana avait pu entrer dans son ordinateur.

Aussitôt, Adam Hill put avoir accès à tous les courriels que Pablo avait échangés la veille et au cours des dernières heures. Il obtint tous les renseignements concernant le départ imminent de la famille Sanchez pour le Mexique, de même que l'adresse de l'appartement qu'ils avaient loué à Puerto Morelos.

Ne perdant pas une minute, Adam demanda à l'informaticien de tendre un piège similaire au père du garçon. Pendant ce temps, il téléphona à un agent de voyage et réserva deux billets d'avion en direction du Mexique. Puis, il informa ses hommes de main qu'ils devaient faire leurs bagages :

— Vous partez pour le Mexique ! Je vous rejoindrai plus tard.

Surpris et ravis, Bo et Ali Jimenez ne se firent pas prier.

— J'oubliais, ajouta Adam. Toi, Ali, tu te postes avec la voiture devant l'immeuble dans une heure. Tu iras reconduire monsieur Santana chez lui.

Pendant ces préparatifs, l'informaticien avait trouvé l'adresse courriel de Fernando Sanchez en consultant le site de l'université d'Arequipa. À présent, il hésitait un peu sur le choix de l'hameçon… Comme il s'agissait d'un professeur, il serait intéressé par quelque chose de concret, de sérieux.

L'informaticien se grattait la tête. Il avait toute une variété de programmes piégés. Il fallait juste faire preuve d'un peu de psychologie pour sélectionner le plus adéquat… ce qui n'était pas toujours évident.

Finalement, il jeta son dévolu sur une offre pour un nouveau logiciel de sécurité gratuit. Les gens étaient obsédés par les dangers d'infection informatique...

— C'est très, très bon ! admit Adam Hill en riant.

Et ironique, pensait-il. En cherchant à se protéger, Fernando Sanchez allait se précipiter tête baissée dans le piège tendu.

L'informaticien mit la touche finale en insérant dans le texte du message : « Cette offre exceptionnelle est strictement réservée au personnel enseignant du milieu universitaire. » À peine quinze minutes plus tard, Fernando Sanchez cliquait sur « *Download* », tout en se disant que c'était une chance inouïe d'améliorer ainsi la sécurité de son ordinateur sans aucun frais... Sans le savoir, il venait d'inviter des étrangers munis des pires intentions à pénétrer son système.

Adam Hill regarda rapidement, par-dessus l'épaule de José Santana, les derniers messages reçus par Fernando Sanchez. L'un d'eux, envoyé par sa femme, demandait à un détective d'Arequipa de se renseigner sur la mort de Ramon Menchu. Ça, c'était une mauvaise nouvelle ! Les policiers ne l'inquiétaient pas – ils n'iraient pas fouiller bien loin –, mais un enquêteur privé, c'était autre chose !

— Maintenant, montrez-moi comment accéder aux courriels de ces deux personnes depuis mon propre ordinateur, dit Adam Hill à José Santana. Je ne peux pas toujours vous avoir à mes côtés.

José Santana lui enseigna la marche à suivre. En tout temps, il aurait accès aux renseignements dont il avait besoin.

Puis, Adam Hill donna un dernier mandat à l'informaticien. Pour ce travail, il lui offrait le double du cachet prévu, soit 2 000 dollars.

José hésitait. Il se disait pressé.

— Je vous promets qu'Ali vous ramènera chez vous dans exactement quarante-cinq minutes, insista Adam en affichant un sourire jovial.

José Santana accepta finalement. Il allait pouvoir rembourser une partie de ses dettes. Il avait atteint la limite de sa carte de crédit et versait tous les mois des intérêts astronomiques…

* * *

À l'heure convenue, Ali Jimenez attendait l'informaticien dans une voiture stationnée devant l'immeuble. Santana s'installa sur la banquette et ils roulèrent en jasant de choses et d'autres jusqu'au cimetière Francisco Bolognesi. La nuit était noire, et on voyait à peine les pierres tombales qui se dressaient sur le terrain. L'informaticien fut surpris quand Ali lui demanda de descendre, pointant une arme sur lui, mais n'émit aucune objection et glissa hors de la voiture.

Quand il eut les deux pieds par terre, Ali tira. Il vérifia

que l'homme était bien mort. Des fossoyeurs privés se chargeraient de l'enterrer sous peu.

Ali se disait qu'il aimait bien abattre un homme dans un cimetière. « Chaque chose à sa place », lui répétait souvent sa mère. Une brave dame !

Avant de repartir, Ali jeta un coup d'œil à l'emplacement où son frère et lui avaient mis en terre une belle femme en sarrau blanc... Puis, il ramassa le sac de l'informaticien et roula jusqu'à la rivière Chill. Après avoir vérifié que personne ne l'observait, il lança le sac dans l'eau.

Un travail vite fait... et bien fait. Son patron serait content. Et dire que Bo et lui allaient bientôt s'envoler pour le Mexique ! Leur famille serait impressionnée si elle savait que les deux petits Costaricains poursuivaient maintenant une carrière internationale !

5

L'énigme du message

À quelques heures d'intervalle, les familles Sanchez et Fortier arrivèrent à Cancún, au Mexique. C'était le début de l'après-midi, le samedi 2 novembre.

L'appartement déniché par Pablo était dans une maison d'un blanc éclatant située juste au nord du village de Puerto Morelos, près d'une plage bordée par les eaux turquoise de la mer des Caraïbes.

Aussitôt arrivés, Lou et Pablo déposèrent leurs bagages dans l'entrée et coururent jusqu'à la mer. Il faisait incroyablement chaud et l'humidité était lourde.Ils empruntèrent le trottoir de bois qui séparait la plage de la rue, et la mer des Caraïbes leur apparut. Elle était calme et transparente, d'un vert intense là où l'eau était plus profonde. Ils s'y glissèrent et plongèrent pour que leurs ventres effleurent le fond, comme deux animaux marins. Ils remontaient pour aspirer un peu d'air et replongeaient, roulant sur eux-mêmes comme de jeunes otaries, se poursuivant pour regagner ensuite la surface, et se faisant face, les yeux pleins d'eau salée, pour s'embrasser.

Bien qu'ils soient heureux d'être ensemble, Lou et Pablo savaient qu'ils devaient maintenant rebâtir leurs liens. Quand elle était au Québec et lui au Pérou, ils s'échangeaient des tonnes de messages sur Internet. Mais c'était un contact virtuel, différent de cette proximité physique qui les gênait un peu à présent. Il leur fallait s'habituer de nouveau à sentir cette présence totale, réelle, qui les obligeait à communiquer autrement.

En regagnant la plage, ils commencèrent à s'agacer et à se chamailler gentiment. Et avec les blagues et les rires, ils se retrouvèrent là où ils s'étaient laissés lorsque Pablo avait quitté le Québec, quelques mois plus tôt.

Ils rentrèrent à la maison rejoindre leurs parents. Ceux-ci avaient déjà vidé leurs valises et leurs sacs. Lou et Pablo les imitèrent, puis ils allèrent donner un coup de main à la préparation du souper. Lorsqu'ils se retrouvèrent tous assis autour de la grande table, Fernando tira un papier de sa poche et lut les dernières paroles prononcées par Ramon Menchu : « *Mexico, Tun, Pozo, Muculbil, Boca, Ch'eench'enki…* »

Après quoi, il tenta une première interprétation du message :

— « *Pozo* » est un mot espagnol qui signifie « puits », et « *boca* », « bouche ». Pour le reste… je ne sais pas. « *Tun* » pourrait être un prénom…

— Et « *Muculbil* » et « *Ch'eench'enki* », des noms de famille, suggéra Marie.

— Peut-être, murmura Fernando, tout en lissant ses sourcils du bout de ses doigts.

Teresa mentionna qu'en parlant aux agents des douanes mexicaines, à l'aéroport, elle avait reconnu l'accent de Ramon Menchu. Il était bien Mexicain, elle en était sûre maintenant, et d'après son physique, certainement descendant des Mayas.

— Donc, nota Fernando, les scribes de Pakal pourraient bien être ses ancêtres, comme il le prétendait !

David acquiesça.

Marie demanda à ses amis péruviens de penser aux autres passagers du vol qui les avait amenés à Cancún. Est-ce que quelque chose les avait frappés ? L'inspectrice était persuadée qu'ils avaient été suivis... Mais par qui ? Il était impératif de le découvrir rapidement.

— Désolée, répondit Teresa, nous nous sommes tous les trois endormis en mettant les pieds dans l'avion.

Par contre, Pablo les informa qu'il avait examiné les voyageurs alors qu'il attendait les bagages devant le carrousel, à l'aéroport. Il se lança dans une série de descriptions que Marie prit scrupuleusement en note.

Le repas terminé, Lou et Pablo sortirent arpenter les rues du petit village.

Après une dizaine de minutes, ils croisèrent un groupe de huit squelettes fluorescents. Pablo se rappela qu'aujourd'hui, au Mexique, c'était le Jour des morts, « *el Día de los Muertos* ». Les jeunes étaient habillés de vêtements moulants entièrement noirs sur lesquels ils avaient collé ou cousu des représentations de squelettes grandeur nature. Dans la pénombre, on ne distinguait que les os qui émettaient une lumière éclatante. Terrifiant !

Lou et Pablo abandonnèrent l'agitation de la rue pour se réfugier à la plage. Ils s'assirent contre un vieux phare qui penchait dangereusement.

— *Te quiero !* dit Lou en se serrant contre lui.

Puis, elle répéta sa phrase en français :

— Je t'aime !

Pablo ferma les yeux un moment, chassant pour de bon ses appréhensions. Il l'enlaça et murmura avant de l'embrasser :

— *Mi amor !*

Environ une heure plus tard, plusieurs lumières s'allumèrent en même temps. D'abord éblouis, ils finirent par reconnaître la bande des squelettes qu'ils avaient croisées plus tôt. Ils arrivaient avec un ballon de volleyball et se dirigeaient vers le filet tendu entre deux poteaux en travers de la plage.

En voyant Lou, ils sifflèrent. Pablo et elle se levèrent aussitôt.

Un gars qui portait un costume rose s'avança vers eux et leur proposa de se joindre au jeu. Il tentait de s'exprimer en anglais, mais il n'y parvenait qu'à moitié. Lou l'interrompit et le salua en espagnol. Il parut soulagé. Il cria aux autres de s'approcher pour former les équipes. Ils devaient bien être une vingtaine qui jacassaient tous en même temps. Pablo ne saisissait pas le moindre mot.

« Est-ce l'accent mexicain ? Serait-il si différent de celui du Pérou ? » se demandait-il.

Le squelette rose tentait de prendre les commandes, mais personne ne l'écoutait vraiment.

Lou s'était éloignée du groupe et parlait avec une jeune fille. Elles se tenaient tout près des vagues qui se cassaient sur la plage.

Voulant à tout prix obtenir l'attention, le squelette rose cria d'une voix puissante :

— *CH'EEN…*

Pablo tourna la tête d'un coup sec, interpellé par l'étrangeté du mot. Mais son regard fut attiré par les lumières qui se déplaçaient au loin, sur la mer. Sans doute un bateau de croisière, conclut-il.

Pour s'amuser, l'un des jeunes frappa le ballon d'un coup de pied en direction de Lou. Il passa au-dessus de Lou et de sa compagne et atterrit dans les vagues, qui le ramenèrent sur la plage.

— *Tzictzac buyuk !* cria quelqu'un.

— Quelle langue parles-tu ? demanda Pablo au garçon.

— La langue maya !

Il lui expliqua qu'il venait de traiter ses amis de « stupides squelettes ».

Les autres reprirent leur joyeux tapage. Alors, le squelette rose lança de nouveau :

—*Ch'een... CH'EENCH'ENKI !*

Pablo ouvrit grand les yeux. Ce n'était pas possible... Il avait dû mal comprendre. Il demanda au garçon de répéter.

— *Ch'eench'enki*, dit-il plus lentement. C'est aussi en langue maya. Ça signifie « silence » ou « silencieux », selon le contexte.

Pablo se leva d'un bond, s'élança vers la mer et attrapa Lou par la manche pour l'entraîner à sa suite.

— Où allons-nous ? lui criait Lou en courant derrière lui.

Comme il faisait la sourde oreille, elle insista :

— Mais quelle mouche t'a piqué ? Moi, je veux rester ici et jouer cette partie de volleyball.

Puis, elle s'arrêta en plein milieu de la rue et lâcha :

— Si tu ne me réponds pas, j'y retourne !

Pablo dut s'immobiliser et revenir sur ses pas. Essoufflé et excité, il lui expliqua :

— J'ai la solution au message de Ramon Menchu.

— Ah ! lança Lou, surprise. Ça change tout. Allons-y !

Après avoir franchi à la course la distance qui les séparait de la maison, ils arrivèrent enfin à l'appartement, ruisselants de sueur. Pablo fonça dans sa chambre et sortit son portable de son sac. Il savait que la location incluait une connexion Wi-Fi. Tout en allumant son ordinateur, il demanda à David quelle était la clé de sécurité du réseau.

— Pablo ! Ici, on travaille, maugréa Fernando qui croyait que son fils voulait communiquer avec ses amis. On n'a pas le temps de jouer les touristes…

— 123-456-78-90, l'informa David, après avoir trouvé le code dans le livre des invités.

Quelques minutes plus tard, Pablo posait triomphalement son ordinateur sur la table, autour de laquelle étaient assis les adultes.

— *Ch'eench'enki, Tun et Muculbil* sont des mots en langue maya. *Ch'eench'enki* veut dire « silence », *Tun,* « pierre » et *Muculbil,* « secret ».

Pablo n'avait pas osé demander aux jeunes Mexicains la traduction de *Tun* et de *Muculbil,* de peur de leur mettre la puce à l'oreille. La raison de leur visite au Mexique devait demeurer secrète. C'est pourquoi il avait rapidement fait une recherche pour trouver en ligne un dictionnaire qui lui permettrait de traduire les mots du maya vers l'espagnol et le français.

Fernando se pencha, regarda l'adresse URL du site et la nota.

— Incroyable ! s'exclama Marie tandis que Fernando, excité, posait son crayon pour prendre son fils dans ses bras.

Quand le calme fut revenu, Marie demanda :

— Mais pourquoi Ramon Menchu aurait-il utilisé deux mots en espagnol entre ceux de langue maya ?

Fernando, Teresa, David et Marie émettaient tour à tour des hypothèses différentes, tandis que Lou pianotait nerveusement sur le clavier de l'ordinateur. Ne trouvant pas ce qu'elle cherchait, elle lança à Pablo :

— Suis-moi, ça va prendre moins de temps…

Ils se levèrent et, toujours au pas de course, reprirent la direction du phare. Depuis qu'ils s'étaient tous deux mis au jogging, ils adoraient courir.

— Qu'est-ce que tu veux ? demanda Pablo, curieux, en s'épongeant le front avec le bas de son t-shirt.

— Tu verras, rétorqua Lou en accélérant la cadence.

Arrivée à la plage, elle observa un moment les joueurs pour retrouver le squelette rose. Une fois qu'elle l'eut repéré, elle s'avança vers lui :

— Comment dit-on, en langue maya, les mots espagnols « *boca* » et « *pozo* » ?

Sans hésiter, il répondit :

— « *Pozo* », en maya, c'est « *chén* » et « *boca* » se traduit par « *chi* ».

Satisfaite, Lou le remercia :

— *Gracias !*

Ils reprirent aussitôt la route en sens inverse.

Pablo comprenait le raisonnement de Lou. Tantôt, il avait transposé du maya à l'espagnol les termes

« *ch'eench'enki* », « *tun* » et « *muculbil* ». Maintenant, Lou faisait l'inverse avec les deux autres mots de l'énigme : « *pozo* », qui signifiait « puits », et « *boca* », « bouche ». Ne trouvant pas en ligne de dictionnaire espagnol/maya, elle était allée s'informer auprès des jeunes Mexicains.

Les deux adolescents franchirent toujours en courant la porte de la maison. Essoufflée, Lou se laissa tomber sur la chaise que David libéra pour elle. Marie donna à chacun une serviette pour qu'ils s'épongent tandis que Teresa leur tendait des verres d'eau. À ce rythme-là, ils allaient se déshydrater rapidement, pensa-t-elle.

La jeune fille articula très lentement les deux termes espagnols, traduits en langue maya :

— Les mots espagnols « *poco* » et « *boca* » se traduisent en maya par « *chi* » et « *chén* ».

— *Chi, chen...*, répéta Marie plusieurs fois.

— Chichén Itzá ! s'écria Fernando. Ramon Menchu n'a pas dit « puits » et « bouche » en maya, parce que ça aurait été trop évident. Chichén Itzá... c'est sans doute là que se trouve le codex !

Il était fou de joie. Il leur expliqua que Chichén Itzá était une ancienne cité maya, probablement le principal centre religieux du Yucatán, au Mexique.

La présence d'une ville maya à cet endroit était due à l'existence de deux sources d'eau, que l'on appelait des cénotes. C'étaient des réservoirs à ciel ouvert. C'est pourquoi on utilisait les mots « *chi* » pour bouche, et

« *chén* » pour puits afin de nommer la cité. Quant à « *Itzá* », ce mot désignait le nom du peuple précolombien qui avait fondé la cité. Le tout réuni donnait « Chichén Itzá ».

Après son apogée, au VIIIe siècle, la civilisation maya avait amorcé son déclin. Les populations des grands centres comme Copan, Tikal et Palenque avaient émigré à Chichén Itzá. Ils avaient sans doute pris avec eux leurs biens les plus précieux, comme les fameux codex.

— Bien joué, les jeunes ! félicita David. Vous venez de nous faire gagner plusieurs jours de travail.

— Et si on résumait tout ça ? proposa Fernando.

Il commença aussitôt :

— « *Mexico* », « *pozo* » et « *boca* » nous disent : « à Chichén Itzá, au Mexique… » Ensuite, j'opterais pour : « dans les pierres » – *tun* – « se cache un secret » – *muculbil*.

Marie précisa que ça pouvait aussi être « près » des pierres, « à côté », « avec », « entre », « parmi », « sous » ou « sur ». On avait le choix des prépositions…

— Tu as oublié « *ch'eench'enki* », fit remarquer Pablo à son père.

— « Dans les pierres silencieuses se cache un secret », suggéra Lou.

Ils discutèrent encore un peu, puis ils se rendirent compte qu'il était près de minuit et demi. Malgré leur longue journée, personne n'avait envie de dormir.

Lou et Pablo s'assirent sur la terrasse, heureux d'être ensemble.

Pendant ce temps, Fernando écrivait un courriel à Ricardo Estrella, son confrère de l'université, spécialiste de la civilisation maya. Le professeur était originaire du Mexique et il connaissait le responsable du site archéologique de Chichén Itzá. Fernando désirait obtenir de celui-ci la permission, pour lui et cinq autres personnes, de visiter les ruines avant les heures d'ouverture.

David et Marie avaient insisté pour qu'il fasse cette demande, pour des questions de sécurité. Avec moins de va-et-vient autour, il serait plus facile d'assurer la surveillance de la famille Sanchez. Les assassins de Ramon Menchu ne pourraient pas se fondre dans la foule des milliers de touristes qui, chaque jour, envahissait les ruines.

Mais les parents de Lou étaient loin de se douter qu'ils sous-estimaient totalement leur adversaire... Il les attendait de pied ferme, tapi dans l'ombre, si près qu'il pouvait les épier à sa convenance. Et c'était un ennemi sans scrupules, sans morale. Une misérable brute assoiffée d'argent et de richesse qui s'armait de patience pour mieux les piéger.

À deux heures du matin, personne ne dormait. Les adultes étaient allés rejoindre Lou et Pablo à l'extérieur. Ils étaient maintenant tous étendus sur des chaises longues, la tête dans les étoiles.

— Et dire que les Mayas ont fait la même chose pour observer les astres…, soupira Fernando.

— Ils étaient loin de se douter qu'il existait des centaines d'autres planètes comme Mars, Vénus et la Terre…, ajouta Teresa.

Son fils éclata de rire en lui disant qu'elle n'y était pas du tout.

— Allez, Lou, demanda-t-il à sa copine. Répète à ma mère ce que tu m'as raconté l'autre jour…

Lou ferma les yeux pour tenter de se rappeler avec exactitude les chiffres. Puis, elle expliqua aux parents qu'une planète, c'était un corps céleste qui gravitait autour du Soleil… ou d'une autre étoile. Elle continua en expliquant que dans notre système solaire, on n'en comptait que 8, mais que les scientifiques pensaient qu'il pourrait y en avoir 1 000 milliards dans notre galaxie, la Voie lactée…

— Tant que ça ! s'exclama Marie.

Pablo lui dit d'attendre un peu, Lou n'avait pas terminé :

— … et on estime à 100 milliards le nombre de galaxies dans l'univers, poursuivit-elle.

— Oh, je me sens tout à coup minuscule ! conclut Teresa en se levant pour aller se coucher.

— … comme les Mayas qui observaient le ciel à la recherche de leur place dans le cosmos, murmura Fernando.

Il suivit Teresa, puis Marie et David rentrèrent à leur tour, et bientôt Lou et Pablo furent de nouveau seuls. Ils se regardaient, heureux. Ils ne voulaient pas dormir. Ils avaient encore tellement de choses à se raconter et tellement de temps à rattraper !

6

Une mauvaise nouvelle

La matinée du dimanche fut occupée à mettre au point la stratégie des prochains jours. Heureusement, Lou, Fernando et Pablo avaient apporté leurs ordinateurs portables.

Alors que Marie et David, postés chacun à une fenêtre, notaient la marque, la couleur et le numéro d'immatriculation des voitures qui passaient, Pablo cherchait sur Internet une maison à louer à Valladolid, la ville la plus proche de Chichén Itzá.

Pendant ce temps, Fernando parcourait le web et recueillait le plus d'informations possible sur Chichén Itzá. Quand il aurait monté un dossier sur le sujet, Pablo et Lou se chargeraient d'en tirer des copies au café Internet du village. Il était primordial que chacun soit bien renseigné sur Chichén Itzá et qu'il connaisse la configuration des lieux, la fonction de chaque édifice et les moments marquants de l'histoire de la cité maya.

Une fois là-bas, ils ne disposeraient, chaque jour, que

de deux heures avant que des touristes envahissent le site. Il ne faudrait pas perdre de temps.

Fernando avait demandé qu'on lui accorde une permission spéciale valide pour une période de deux semaines, mais il prévoyait qu'on ne lui en accorderait qu'une seule.

— Ça fait au moins six coccinelles qui passent, s'exclama Marie.

Elle parlait évidemment des anciennes petites Volkswagen, tout en rondeur.

— C'est parce qu'elles sont fabriquées au Mexique, expliqua Fernando.

Pour les personnes de leur génération, ces voitures avaient quelque chose de mythique.

— J'ai beau surveiller, je ne vois rien d'anormal, murmura Marie à l'intention de son conjoint. Pourtant, je sens qu'on nous observe... J'en ai même la conviction.

Marie connaissait bien son métier. Elle avait un flair hors du commun. David savait que ses intuitions étaient souvent justes. Il sortit donc pour inspecter les alentours.

Il marcha longtemps dans les rues avoisinantes, passant et repassant plusieurs fois aux mêmes endroits. Il rencontra un Mexicain, auprès de qui il se renseigna au sujet des nouveaux venus, ceux qui avaient récemment loué un appartement ou une chambre au village. Il lui dit qu'une maison tout près de la leur était présentement occupée par des touristes. Alors, David alla de maison en maison, frappant à la porte de tous les voisins. Partout, on lui répétait que c'était la basse saison touristique et que les appartements étaient vides. Le dernier voisin à qui il s'adressa se déroba, prétextant qu'il devait promener son chien. Usant de patience, David persista à l'interroger en l'accompagnant malgré lui, tout au long de sa promenade. Au bout d'une demi-heure, il put enfin obtenir une réponse à sa question :

— Non… il n'y a rien de loué par ici, dit l'homme. On vous a raconté des histoires. Ceux qui étaient là sont partis !

Il aurait préféré ne pas mentir, mais il n'avait pas le choix. Il avait loué un de ses appartements à un certain Adam Hill, qui était accompagné de deux Costaricains à l'air louche. Ils avaient insisté pour visiter le logement que devaient occuper deux familles de touristes, dans un autre immeuble. Comme il en connaissait le propriétaire, il avait obtenu la clé, et avait arrangé la visite pour ses clients. Hill l'avait grassement payé pour ça. Il avait demandé de rester dans le logement durant quelques minutes, seul avec ses deux amis. Après quoi, il avait donné l'ordre à son hôte de garder le silence sur toute cette histoire.

— Non…, répéta-t-il en tirant nerveusement sur la laisse de son chien…

Les visages sombres et durs des trois hommes lui revenaient en mémoire.

— … personne ! lâcha-t-il sur un ton sec.

David le remercia et continua d'arpenter les rues de Puerto Morelos. Il avait bien senti que quelque chose ne tournait pas rond chez cet homme.

Lorsqu'il rentra, Lou et Teresa invitèrent tout le monde à passer à table pour le dîner. Tout en mangeant, Pablo annonça qu'il avait déniché un endroit où ils pourraient loger à Valladolid. Fernando déclara pour sa part qu'il avait amassé toutes les informations nécessaires sur la cité de Chichén Itzá. Il ne manquait plus que la réponse du professeur Ricardo Estrella, et ils seraient prêts à partir.

Après le repas, Lou et Pablo se rendirent au café Internet pour faire cinq photocopies du document de Fernando. Lorsqu'ils revinrent, une demi-heure plus tard, ils trouvèrent leurs parents assis dans le salon. Un silence de mort régnait dans la pièce.

— Il y a un problème ? s'enquit Pablo.

— Un gros, acquiesça David. Ton père a reçu la réponse à sa demande…

— Alors, c'est non ? supposa Lou. On ne veut pas nous permettre l'accès au site de Chichén Itzá avant les heures d'affluence ?

— Lisez vous-mêmes ! Le message est toujours ouvert, dit Fernando en désignant le portable posé sur la table.

Curieux, Lou et Pablo s'approchèrent. Le courriel était affiché à l'écran.

Bonjour Fernando,
J'ai obtenu les deux semaines que tu m'avais demandées. Tu as même la permission de monter jusqu'au sommet de la pyramide centrale.
Je serais curieux de connaître les raisons qui t'ont conduit au Mexique de manière si précipitée…
C'est une étrange coïncidence ! Imagine-toi que je devais rencontrer, cette semaine, un Mexicain du nom de Benito Perez, qui vient de Valladolid. Son père était un ami du mien. Ils étaient tous les deux passionnés d'histoire maya… Benito voulait me parler de quelque chose de très important, disait-il, quelque chose qui touchait à la sécurité de sa fille… Mais il n'en a pas eu le temps ! Il a été assassiné. Je l'ai appris quand je suis tombé sur un article accompagné de sa photo, dans le journal. Je l'ai reconnu d'après une photographie de mon père et du sien, sur laquelle il apparaissait, debout entre les deux hommes.
Ce qu'il y a de plus fou dans tout ça, c'est que son père, lui aussi, est mort assassiné il y a à peine un mois… Et sa fille de seize ans a également disparu dans les jours qui ont suivi l'assassinat de son grand-père… Elle est sans doute morte, elle aussi. Tu te rends compte ? Trois membres d'une même famille, victimes d'actes criminels, et en si peu de temps…
Tout ça me paraît curieux… Je n'ai jamais rencontré cet homme. Je l'attendais, mais il n'est jamais venu. Pour-

tant, je me pose beaucoup de questions... Le plus étrange, c'est qu'il voyageait sous un faux nom, selon ce que j'ai lu dans le journal. Il se faisait appeler Ramon Menchu.

Enfin, je ne veux pas t'embêter avec tout ça. Passez de belles vacances. Je te copie quelques liens qui te mèneront à des sites spécialisés. Ça t'aidera à comprendre les glyphes mayas.

Ricardo Estrella

— Ce n'est pas rassurant, tout ça, commença Lou en s'assoyant sur un divan.

— Deux morts, peut-être trois, renchérit Pablo.

David et Marie relisaient le message tandis que Teresa et Fernando échangeaient des regards inquiets.

Pour rassurer les parents de Pablo, Lou ajouta :

— Avec mon père et ma mère, un détective et une policière, c'est sûr qu'on n'est pas en danger ! Les personnes responsables de ces assassinats ont besoin de nous pour les conduire jusqu'au codex... Tant qu'on leur sera utiles, ils ne s'attaqueront pas à nous. N'est-ce pas, papa ?

David admit que c'était une façon de voir les choses. Ces gens, peu importe leur identité, étaient manifestement à la recherche du codex, et semblaient attendre qu'on les mène jusqu'à lui.

Ce qui le préoccupait, toutefois, c'est ce qui se passerait après... Ces individus étaient agressifs, violents et brutaux… Ils ne reculaient devant rien. David jeta un coup d'œil à Marie. Il sentit aussitôt qu'elle pensait exactement la même chose que lui : il était impératif de convaincre Fernando de renoncer à cette chasse au trésor et il leur fallait transmettre toutes les informations qu'ils détenaient aux forces policières.

Marie attira son mari à la cuisine et lui chuchota à l'oreille :

— Avant de mettre fin aux recherches, attendons encore quelques jours… Le temps de visiter le site de Chichén Itzá. Nous resterons sur nos gardes.

David acquiesça et ils retournèrent prendre place avec les autres.

* * *

De la maison voisine, Adam Hill avait écouté avec un grand intérêt la conversation qui se déroulait dans le salon. Grâce aux micros installés dans l'appartement par Ali et Bo, il pouvait entendre tout ce qui s'y disait. Il arrivait même à entrevoir les occupants du logement par la fenêtre sans rideaux. Il savait maintenant que la recherche du codex allait se déplacer vers Chichén Itzá… Et, grâce à l'incursion de l'informaticien dans les ordinateurs du jeune Pablo et de son père, Adam connaissait l'endroit exact où les deux familles devaient loger à Valladolid. Bien sûr, il avait pris à son tour les arrangements nécessaires.

Adam souriait. Cette petite Lou était perspicace. En effet, ils n'étaient pas en danger... Enfin, pas encore !

* * *

— La fille de Benito Perez n'est peut-être pas morte comme le laisse entendre le confrère de Fernando, commença Lou en attachant ses cheveux en queue de cheval. Au contraire, elle est probablement bien vivante et elle se cache. Il est évident qu'elle sait quelque chose. Tout le monde affirme que les codex se transmettent de génération en génération. Si l'on suit cette logique, après la mort du grand-père et du père, il ne reste plus qu'elle... Le dernier maillon de la chaîne !

Chacun réfléchissait à ce que Lou venait de dire. Puis, Marie brisa le silence en s'adressant à Fernando :

— Ton confrère parle de glyphes mayas dans son message. De quoi s'agit-il ?

L'esprit ailleurs, Fernando expliqua que les Mayas n'avaient pas d'alphabet. Ils écrivaient en utilisant des images, selon une combinaison de symboles phonétiques et d'idéogrammes. L'ensemble formait des tableaux qui racontaient des récits. C'est un garçon de douze ans qui avait finalement découvert la clé pour les décrypter. Il accompagnait ses parents archéologues sur les sites de recherche. Pour les aider, il reproduisait, en les dessinant, les inscriptions qui se trouvaient sur les glyphes.

—Il y a en a beaucoup à Chichén Itzá, conclut-il.

Pablo n'avait jamais vu son père répondre à une question qui touchait l'archéologie en si peu de mots. Il fallait qu'il soit complètement absorbé par des réflexions lugubres. Il devait avoir peur pour leur sécurité. Peut-être avait-il l'intention d'abandonner la recherche du codex… Pablo espérait que ce n'était pas le cas. Il adorait cette aventure et, surtout… il était avec Lou !

Il décida de provoquer son père pour l'inciter à penser à autre chose, et ainsi chasser les idées noires de son esprit :

— En tout cas, ces Mayas semblent pas mal plus évolués que tes Incas, affirma-t-il haut et fort. Ils avaient au moins inventé une forme d'écriture, eux !

Fernando leva la tête et haussa les épaules. Pablo conclut qu'il devait être vraiment inquiet s'il n'avait même pas le cœur à défendre ses chers Incas.

Ce fut David qui se sentit obligé d'intervenir :

— Une société peut avoir une pensée complexe et raffinée même si elle n'a pas mis au point un système d'écriture comme ceux que l'on connaît. Prenez en exemple les Premières Nations d'Amérique du Nord. Ils n'avaient pas inventé l'écriture, mais leur culture était riche… Et elle pourrait dater de plus de 40 000 ans avant Jésus-Christ.

Il fut interrompu par Lou :

— Vous parlez tantôt d'années avant Jésus-Christ,

tantôt d'années « avant notre ère »... Quelle est la différence ?

— Il n'y en a pas, répondit sa mère. Les pays ont tous adopté, pour une question pratique, l'année de la naissance de Jésus Christ comme l'an zéro. C'est le calendrier grégorien. Mais il en existe d'autres. Pour les Juifs, nous sommes aujourd'hui en l'an 5774...

— Et moi, ajouta Fernando, je dirais que selon le calendrier islamique la date devrait tourner autour de 1434.

— C'est pour ça, continua Marie, que par considération pour les différentes cultures, nous utilisons maintenant les expressions « avant notre ère » ou « de notre ère ».

Pablo regarda son père. Il était satisfait. Le stress provoqué par le message de Ricardo Estrella semblait s'être dissipé. Il se leva, aussitôt imité par Lou. Les deux adolescents allèrent à la fenêtre pour contempler un moment la mer. Puis Pablo attrapa une liasse de feuilles et s'installa confortablement sur un fauteuil pour les consulter.

— Qu'est-ce que c'est ? s'enquit Lou.

— C'est un document sur le mythe de la création maya. Je te passe les premières pages, proposa Pablo en les lui tendant. Tu devrais trouver ça intéressant.

Lou s'affaissa tout contre lui pour en entreprendre la lecture. Le contact avec cette famille passionnée d'archéologie commençait sérieusement à l'influencer. Elle aimait

—Il y a en a beaucoup à Chichén Itzá, conclut-il.

Pablo n'avait jamais vu son père répondre à une question qui touchait l'archéologie en si peu de mots. Il fallait qu'il soit complètement absorbé par des réflexions lugubres. Il devait avoir peur pour leur sécurité. Peut-être avait-il l'intention d'abandonner la recherche du codex... Pablo espérait que ce n'était pas le cas. Il adorait cette aventure et, surtout... il était avec Lou !

Il décida de provoquer son père pour l'inciter à penser à autre chose, et ainsi chasser les idées noires de son esprit :

— En tout cas, ces Mayas semblent pas mal plus évolués que tes Incas, affirma-t-il haut et fort. Ils avaient au moins inventé une forme d'écriture, eux !

Fernando leva la tête et haussa les épaules. Pablo conclut qu'il devait être vraiment inquiet s'il n'avait même pas le cœur à défendre ses chers Incas.

Ce fut David qui se sentit obligé d'intervenir :

— Une société peut avoir une pensée complexe et raffinée même si elle n'a pas mis au point un système d'écriture comme ceux que l'on connaît. Prenez en exemple les Premières Nations d'Amérique du Nord. Ils n'avaient pas inventé l'écriture, mais leur culture était riche... Et elle pourrait dater de plus de 40 000 ans avant Jésus-Christ.

Il fut interrompu par Lou :

— Vous parlez tantôt d'années avant Jésus-Christ,

7

Une ancienne cité maya

Le lundi 4 novembre, en début d'après-midi, Pablo et Lou se promenaient dans Valladolid, entre les vieux édifices de pierre et les rangées de maisons colorées. Il y avait peu de voitures et, partout, ils étaient accompagnés d'une musique rythmée.

Ils arrivèrent à une grande place pleine d'arbres. Des bancs occupaient le centre et une cathédrale s'élevait au-dessus, comme une présence vivante qui veillait sur la ville. Des femmes en sortaient en jasant entre elles. Toutes portaient la robe blanche typique du Yucatán, brodée à l'encolure d'un collier de fleurs.

À mesure qu'ils s'éloignaient, les rues sentaient le cuir. Lou était heureuse d'être à Valladolid. Elle y était dépaysée et ça lui rappelait le voyage qu'elle avait fait en Bolivie avec Pablo… Ils croisèrent plusieurs ateliers-boutiques où des artisans s'affairaient à couper des peaux et à confectionner des sacs, des bottes, des souliers, des ceintures… Lou entra dans l'une des boutiques pour essayer des sandales en cuir malgré les protestations de Pablo qui décida de l'attendre sur le trottoir.

Pendant que le vendeur cherchait le modèle qu'elle voulait, un inconnu s'avança vers elle :

— Vous parlez très bien l'espagnol, lui dit-il. D'où venez-vous ?

Lou lui répondit qu'elle habitait le Québec.

— Et vous ? demanda-t-elle. Vous n'avez pas un accent mexicain, ni péruvien…

— Je suis originaire du Costa Rica, l'informa l'étranger avec un grand sourire. Nous sommes ici pour tourner quelques scènes d'un film d'action… Aimeriez-vous faire de la figuration ?

Lou était emballée par l'idée. Elle laissa à l'homme ses coordonnées et promit d'en parler à son ami péruvien. Il voudrait certainement se faire engager et gagner quelques pesos, lui aussi.

Lou acheta une paire de sandales et sortit rejoindre Pablo, qui discutait près du magasin avec de jeunes garçons. Elle rigola en les entendant. La jeune fille avait remarqué que plusieurs Sud-Américains avaient une manière très théâtrale de s'exprimer. Ils empruntaient des tons de voix appropriés aux personnages de l'histoire qu'ils racontaient.

Quand ils furent seuls, Lou relata à Pablo la rencontre qu'elle venait de faire.

— Je ne sais pas trop…, commença Pablo. Tu n'as

pas pensé que cet homme pourrait être dangereux ? Il est peut-être impliqué dans la mort de Ramon Menchu ! Ce prétendu tournage pourrait être un prétexte pour t'entraîner quelque part…

Lou blêmit. Pablo avait raison. Ce n'était pas une coïncidence. Elle avait honte de ne pas y avoir songé elle-même.

— OK… On n'en parle pas aux parents, d'accord ? implora-t-elle. Après tout, on ne connaît pas la vérité !

Mais Lou se rendait compte à quel point elle avait été stupide de donner spontanément son adresse à un inconnu.

Pablo hocha la tête. Il ne dirait rien. Les deux adolescents continuèrent leurs déambulations à travers la ville.

* * *

Pendant ce temps, leurs parents prenaient un café à l'hôtel El Mesón del Marqués. Assis autour de la fontaine, sous les arcades de pierre, ils avaient bien l'intention de profiter de la journée pour se reposer.

Cependant, David était inquiet. Marie aussi. Ils n'avaient rien remarqué de suspect, mais leur expérience leur disait que quelque chose clochait. Ils percevaient un danger. Et ils avaient raison…

Ali et Bo Jimenez les avaient suivis depuis leur départ de Puerto Morelos. Adam Hill, qui avait dû s'envoler vers le Texas pour régler un dossier important, les avait chargés de surveiller les deux familles lorsqu'elles iraient à Chichén Itzá. Comme ils connaissaient l'adresse de leur nouvel appartement, ils n'avaient même pas à les filer.

Grâce à leur infiltration dans l'ordinateur de Fernando, Ali et Bo savaient à quelle heure les deux familles se rendraient au site archéologique. Les deux frères avaient donc pris une chambre au Mayaland, un hôtel situé tout près de Chichén Itzá et qui avait un accès direct aux ruines. Ce serait un jeu d'enfant !

Le plan était d'enlever l'un des deux adolescents pour forcer leurs parents à accélérer leurs recherches afin de trouver le codex. Quand ce serait fait, ils laisseraient les pères et mères mariner dans leur désespoir, puis ils feraient l'échange : le garçon ou la fille contre le document. C'est du moins ce qu'ils allaient leur promettre…

Mais rien ne pressait : ils avaient deux semaines devant eux. Et Bo avait déjà établi un premier contact avec la fille…

* * *

Le lendemain de leur arrivée à Valladolid, Lou, Pablo et leurs parents prirent la route, dans une fourgonnette de location, pour Chichén Itzá. Il était 5 h 10 du matin. Le trajet jusqu'à la cité nécessitait au plus trente minutes. Ils devaient entrer sur les lieux à 5 h 50, juste à temps pour assister au lever du soleil. L'endroit ouvrait ses portes au public à 8 heures, ce qui ne leur donnait que deux heures par jour pour fouiller les ruines. Il ne fallait pas perdre une minute.

Ils déjeunèrent dans la voiture de « pain des morts », ces *pan de muertos* saupoudrés de sucre et parfumés à l'orange. La vendeuse leur avait expliqué qu'on préparait cette pâtisserie seulement au mois de novembre.

À six heures, ils pénétraient sur le site.

Ils restèrent un long moment bouche bée. Comme par magie, ils se retrouvaient dans le passé, propulsés plus de 1 500 ans en arrière, loin des années 2000. Pourtant, ils avaient lu les notes de Fernando, qui détaillaient chaque construction de la cité maya, mais ils n'avaient pas anticipé cette sensation grisante qui venait de les envahir.

Ils étaient obligés de renverser la tête pour admirer le Castillo. On aurait dit que le soleil se levait juste pour admirer l'immense pyramide. Et la lumière l'enveloppait, lui donnant une apparence presque surnaturelle !

— Ceux qui l'ont bâti étaient des géants ! s'exclama Lou.

— Tu as raison, acquiesça Marie.

Les visiteurs ne pouvaient détacher leurs yeux de l'imposante pyramide qui avait si bien défié le temps.

— Avez-vous reconnu le Castillo ? demanda Fernando, excité.

Ils marchèrent à ses côtés en écoutant ses explications :

— Chacune des faces de la pyramide est divisée en neuf plateaux, et est traversée par un escalier de quatre-vingt-onze marches. Si on y ajoute le plateau situé au sommet, le total des marches des quatre côtés de la pyramide est donc égal au nombre de jours dans une année.

Fernando leur montra, sur une page de son carnet, le calcul qu'il avait effectué :

« $4 \times 91 = 364 +$ le plateau du sommet $= 365$ »

— Magnifique ! s'exclama Marie.

— Quand je vous disais que les Mayas étaient avancés..., ajouta Fernando avec enthousiasme. Ils ont même inventé le zéro avant les Européens !

Lou et Pablo pouffèrent de rire. La même idée leur avait traversé l'esprit : inventer le zéro... ça sonnait tellement ordinaire. Mais à bien y songer, le fait d'avoir introduit ce nombre en mathématiques devait constituer une véritable révolution. C'était d'ailleurs à se demander ce qu'on faisait avant de l'avoir imaginé !

— Quand on pense qu'au moment de la conquête, les Espagnols ont traité les Mayas comme de purs imbéciles ! s'indigna Marie. Ils étaient aveuglés par une représentation du monde qui se limitait à leur univers chrétien...

— En effet, admit tristement Fernando. Ce fut la même chose pour les Incas... Et le pire, c'est que ce sont les Européens qui ont écrit la grande histoire de l'humanité. Et il y a peu de place dans les livres d'histoire pour les Premières Nations d'Amérique, que ce soient les Incas ou les Mayas. Les conquérants ont détruit tant de vestiges de ces civilisations qu'on ne connaît que très peu nos origines…

Marie lui demanda si les Mayas, qui avaient estimé la durée d'une année avec tant de précision, avaient aussi séparé les années en semaines. Fernando fit « non » de la tête. Ce concept était une invention des Hébreux, qui avaient divisé le temps en sept jours pour le faire correspondre au récit de la Genèse, qui raconte que Dieu a créé le Ciel et la Terre en six jours et que le septième, il s'est reposé.

— Les jours doivent leurs noms aux sept astres identifiés par les Babyloniens : la Lune (lundi), Mars (mardi), Mercure (mercredi), Jupiter (jeudi), Vénus (vendredi) et Saturne (samedi). Puis, si l'on traduit le mot « dimanche » en anglais, on obtient « *Sunday* » : *Sun day*, le jour du soleil.

— WOW ! s'exclama Lou.

— Peux-tu nous parler un peu plus du site, Fernando ? demanda Marie.

— Bien sûr, répondit-il. Nous n'avons pas de temps à perdre. Chichén Itzá a connu deux périodes. La première s'étend de sa fondation à l'année 900 – ce sont de cette époque que datent les plus vieilles constructions –, et la deuxième, ce que l'on a appelé l'ère Maya-Toltèque, a vu s'ériger ce que vous apercevez au nord, dans la partie gauche : le Temple du Jaguar, le jeu de pelote, le Tzompantli et la plateforme de Vénus.

— Le Tzompantli, répéta difficilement Lou. Ça sonne comme un truc de cirque !

— On nomme aussi le Tzompantli le Mur des crânes. Il y en aurait cinq cents, sculptés dans la pierre. Ils représentent les têtes des prisonniers de guerre et des victimes de sacrifices. Jadis, on embrochait les têtes sanglantes des ennemis et elles se décomposaient à l'air libre.

— Yark ! s'exclama Lou.

Fernando poursuivit sa description du site :

— Là-bas, c'est le *Cenote Sagrado,* qui est en fait un puits sacré. Des archéologues ont retrouvé tout au fond de l'or et du jade…

Lou et Pablo se regardèrent et échangèrent silencieusement une information : ils iraient visiter cet endroit… aujourd'hui même !

— Sachez, continua Fernando, que l'on jetait dans le puits des jeunes gens pour les offrir en sacrifice. On les y plongeait au petit matin, et si, à midi, ils avaient réussi à se maintenir à flot, on les repêchait et ils devenaient des personnes importantes, célébrées dans toute la cité. On croyait qu'ils avaient été sauvés par les dieux.

— On pourrait faire ça avec nos enfants, suggéra David.

— On s'en fout… on sait nager, rétorqua Lou.

— On fera la planche ! renchérit Pablo.

Fernando éclata de rire, puis expliqua que, tout près, se trouvaient le Temple des Guerriers ainsi que le groupe des Mille Colonnes. Puis, il se tourna vers la droite et continua :

— Par là, au sud, vous verrez l'Observatoire de Caracol. Les Mayas y étudiaient le mouvement des étoiles et y observaient aussi la planète Vénus. Pour le reste, il y a un plan dans le document que je vous ai remis.

Lou le sortit pour y jeter un coup d'œil :

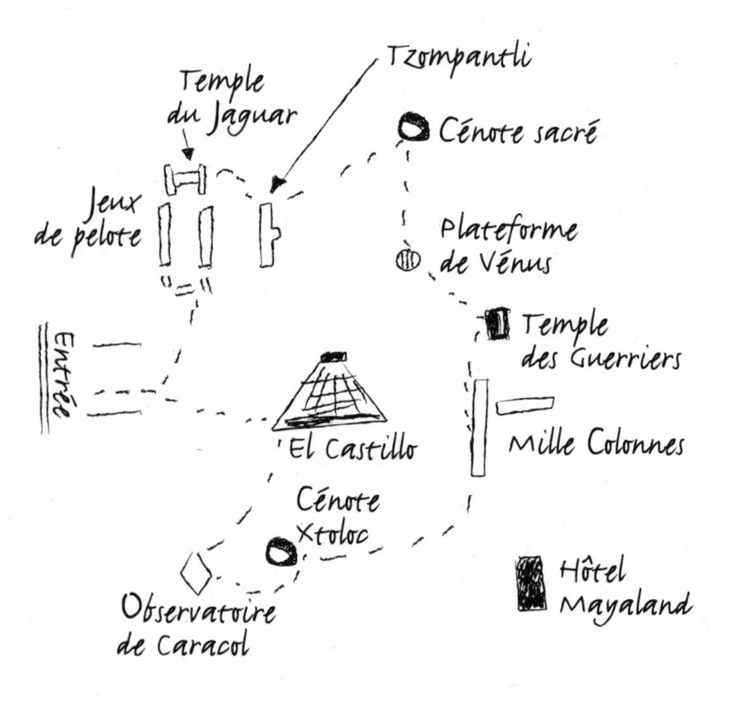

— Une dernière information d'ordre général, ajouta Fernando. Chaque bas-relief, chaque sculpture, chaque mosaïque racontent une histoire. Rien n'a été laissé au hasard. Soyez attentifs.

Sur ce, ils se dispersèrent, les parents d'un côté, et Lou et Pablo de l'autre. Ils avaient convenu que, durant leur première journée, ils se contenteraient de visiter les lieux.

Bo et Ali Jimenez, cachés en bordure du site, avaient suivi la conversation. Ils étaient heureux de constater que le garçon et la fille se détachaient du reste du groupe. Leur tâche n'en serait que plus facile…

Les deux jeunes commencèrent par grimper au sommet la grande pyramide du Castillo, ce qui mit en veilleuse les plans des deux Costaricains.

En arrivant en haut, Lou et Pablo avaient tous les deux le souffle court.

La vue était impressionnante. Le brouillard se dissipait et la cité millénaire se révélait dans toute sa splendeur.

Pablo demanda à Lou d'imaginer le souverain, face à ses sujets qui le regardaient au pied de la pyramide. Les disques d'or qui pendaient à chacune de ses oreilles scintillaient dans la lumière. Il portait une coiffe surmontée de plumes. Son vêtement ample flottait au vent… Le roi brandissait à bout de bras le sceptre royal, l'incarnation de K'Awiil, le dieu aux pieds de serpent, qui protégeait les nobles mayas. Et ses sujets s'imaginaient en présence d'un dieu vivant...

Pablo mimait les gestes du souverain. Levant l'index vers le ciel, il cria :

— Apportez la pluie à la terre asséchée ! J'offrirai cette jeune vierge en sacrifice.

Lou était morte de rire.

— Oui... dit-elle enfin, ça devait se passer à peu près ainsi. Les rois mayas croyaient influencer l'univers... et je les comprends ! En me tenant ici, au sommet de cette pyramide, je me sens comme une déesse !

Avec une allure royale, elle déambulait sur la plateforme, tout en parlant :

— As-tu lu le document de Fernando ? demanda-t-elle en interrompant son spectacle. Les nobles se perçaient la peau devant l'assistance et les prêtres recueillaient le sang sur des bandelettes, puis les faisaient brûler. La fumée était censée s'élever jusqu'aux dieux...

Ils s'assirent et contemplèrent la cité qui s'étendait à leurs pieds. Juste d'imaginer comment vivaient les gens de cette époque était en soi bouleversant. Cela remettait toute l'existence en perspective. Ce codex, par exemple : que pouvait-il bien contenir ? Quelles informations venues du passé pourrait-il leur apporter ? Le monde moderne était tellement évolué, tellement sophistiqué...

— Notre civilisation est-elle si avancée par rapport

à celle des Mayas ? demanda pensivement Lou après un moment.

— Pourquoi en douterais-tu ? Avec nos nouvelles technologies, les communications instantanées, le stockage de données, la robotique, la biométrie..., commença Pablo.

Mais il comprenait ce que Lou voulait dire... Quelque chose dans notre façon de vivre n'était pas si loin de celle des Mayas. Nous aussi avions nos dieux : des acteurs, des chanteurs, des héros d'un jour sur Internet... C'est vrai, ils ne s'appelaient pas Ah Puch, Itzamna ou K'inich Ajaw, mais ils portaient d'autres noms.

— On croit qu'à une certaine époque, les Mayas ont coupé des forêts entières pour décorer leurs pyramides d'un stuc qu'ils préparaient avec l'écorce des arbres. Et la déforestation aurait entraîné la disparition de terres cultivables. Tu vois comme l'histoire ne cesse de se répéter ?

Pablo avait lâché ça dans un seul souffle. Il était préoccupé par les questions environnementales. Lou l'avait d'ailleurs aidé à sauver un coin de la forêt amazonienne lors de son voyage au Pérou[1].

Les similitudes entre hier et aujourd'hui étaient frappantes.

— Descendons et allons visiter le jeu de pelote,

---

1. Voir *Destins croisés,* Boréal, coll. « Boréal Inter », 2013.

suggéra Lou en s'engageant prudemment dans l'un des quatre grands escaliers du Castillo.

Ils amorcèrent la descente. Lou s'arrêtait parfois pour jeter un regard à la cité maya. Elle avait l'impression que subsistait là autre chose que des ruines...

Ali et Bo Jimenez les attendaient dissimulés sous le couvert des arbres. Ils se demandaient depuis un moment ce que les deux adolescents pouvaient bien faire là-haut. Avaient-ils trouvé quelque chose ? Ce serait un endroit idéal pour cacher le codex, car le public n'avait pas accès au sommet de la pyramide. Le groupe avait sans doute eu une permission spéciale...

— Ils arrivent ! murmura Bo. Aussitôt que nous en avons l'occasion, nous passons à l'action.

— Pas si vite, grommela Ali. Je veux entendre ce qu'ils disent, savoir s'ils ont trouvé quelque chose ou pas. Et puis, c'est le premier jour... On a amplement le temps ! Suivons-les et assurons-nous de ne pas les perdre de vue.

* * *

Lou et Pablo atteignirent rapidement le jeu de pelote, surveillés de près par les deux frères costaricains.

C'était un terrain délimité par deux murs de pierre parallèles. Tout au bout était érigée une petite pyramide surmontée d'un palier. Les juges devaient, à l'époque, se tenir à cet endroit.

En longeant les murs, Lou et Pablo aperçurent des anneaux.

Ils avaient lu dans le document préparé par Fernando que la compétition consistait à y faire traverser une balle pour marquer un but. Les participants ne pouvaient la toucher qu'avec la tête, les coudes, les hanches et les genoux. L'équipe perdante était tuée, sacrifiée aux dieux. On disait aussi dans la présentation du jeu de pelote qu'en se plaçant à un endroit ou à un autre du terrain, le son était réverbéré d'une façon totalement différente. Lou et Pablo s'amusèrent à comparer l'écho produit par leurs cris. À un moment, Pablo frappa dans ses mains et le son se dédoubla dans un bruit sec.

— En tout cas, ce ne sont pas des pierres silencieuses…, déclara Pablo.

Ils s'assirent au milieu du terrain. Sans le savoir, ils se mettaient ainsi à l'abri des deux hommes qui les poursuivaient : tant qu'ils se tenaient à découvert, ils ne pourraient jamais les attaquer.

— Ce n'est pas fou, ce que tu dis là, Pablo ! s'exclama Lou. C'est peut-être dans ce sens-là qu'il faudrait orienter nos recherches pour trouver le codex. Par exemple, chercher dans cet espace un endroit où les pierres sont silencieuses, où il n'y a pas d'écho.

Pablo marcha jusqu'à la petite pyramide située au bout du terrain en tapant des mains à intervalles réguliers. Lou le suivait, curieuse.

— Ici, le son ne résonne pas sur les parois des murs, conclut Pablo en s'arrêtant. Alors on pourrait dire que ces pierres sont silencieuses…

Il fit une grimace, secoua sa tignasse de gauche à droite et enlaça Lou.

— Non… je n'y crois pas trop à cette histoire, avoua-t-il. Ce lieu a été fouillé des milliers de fois. Et tu as vu la superficie que couvre Chichén Itzá ? Le site fait près de sept kilomètres carrés. Il y a tant d'édifices… Aussi bien chercher une aiguille dans une botte de foin !

— Allez, viens ! s'exclama Lou.

Comme il ne bougeait pas, elle déposa un baiser sur ses lèvres, et ajouta :

— Ne sois pas défaitiste. Il ne nous reste plus beaucoup de temps pour faire le tour. Et l'on n'a même pas encore vu le cénote ni le Mur des crânes…

— Le Tzompantli, spécifia Pablo, qui aimait bien la sonorité du mot.

Ils s'amusèrent à se poursuivre entre les murs du Temple du Jaguar, s'arrêtant de temps en temps pour jeter un coup d'œil aux inscriptions sur les pierres. Ils chantèrent au-dessus du cénote, qui leur rendait leurs voix amplifiées, puis ils firent la course jusqu'à la plateforme de Vénus.

— J'ai l'impression que les pierres me regardent, dit subitement Pablo, en arrivant devant un glyphe.

Il se sentait étrangement enveloppé par ce monde

ancien dont les fantômes semblaient s'étirer hors des murs.

Les Mille Colonnes étaient encore plus frappantes que le reste. Chacune d'entre elles avait été taillée de façon à prendre l'aspect d'un serpent à plumes. Alors que les deux adolescents les observaient en silence, des oiseaux noirs surgirent du couvert des arbres en jetant des cris terrifiants...

Lou et Pablo rejoignirent leurs parents à la sortie du site. Les vendeurs commençaient déjà à étaler leurs masques de bois et leurs bijoux de jade à l'intention des touristes qui, bientôt, déferleraient sur les lieux.

Les deux jeunes étaient essoufflés. Ils avaient profité de leur visite pour faire leur jogging matinal... ce qui avait contrarié au plus haut point les frères costaricains !

8

De nouveaux éléments

Après leur première matinée sur le site de Chichén Itzá, les deux familles rentrèrent se reposer à Valladolid. Fernando constata qu'il avait reçu un courriel de la part du détective Ernesto Quispe. Il demandait qu'on le rappelle.

Fernando s'empressa de le contacter. Il obtint la communication et mit le téléphone en mode haut-parleur, afin que tous puissent entendre ce que l'enquêteur avait à dire :

— Le véritable nom de Ramon Menchu est Benito Perez, commença celui-ci. Son père a été tué il y a un mois, à Valladolid, la ville où vous vous trouvez maintenant. Et sa fille de seize ans a disparu…

« Jusque-là, il n'y a rien de nouveau », pensait David, déçu.

Ernesto poursuivit, racontant que Benito Perez, alias Ramon Menchu, était entré au Pérou par le port de Chimbote. Il avait voyagé à bord d'un cargo transportant des conteneurs. Les assistants de l'enquêteur péruvien, les détectives Anna et Esteban, avaient visionné les enregistrements effectués par les caméras de surveillance du port. Ils avaient vu Perez pénétrer dans le terminal, un paquet dans les bras. Il était assez volumineux et avait une forme allongée.

— Le codex ! s'exclama Fernando. Est-ce qu'on serait venus au Mexique pour rien ? Le codex se trouverait au Pérou…

David secouait la tête.

— Je ne crois pas, affirma-t-il. Il transportait sans doute autre chose.

Marie était concentrée. Elle tentait à toute vitesse d'analyser la situation, ce qui creusait quelques plis sur son front. Elle avait quelques idées, mais elles étaient trop vagues pour être formulées pour l'instant.

Ernesto continua :

— Pourquoi est-il venu par bateau ? Il aurait tout aussi bien pu prendre l'avion… Tout laisse croire qu'il désirait passer inaperçu. D'ailleurs, le navire à bord duquel il a gagné le Pérou se rendait au port de Callao. Se sachant sans doute attendu, il a demandé à être conduit à terre avant d'arriver à la destination finale.

Il y avait autre chose. Ernesto les informa qu'Anna et Esteban avaient également visionné les enregistrements des caméras de surveillance de l'hôpital d'Arequipa. Ils avaient isolé une image très nette du tireur au moment où il pénétrait dans l'établissement. Elle montrait clairement le visage de l'homme qui avait fait feu sur Ramon Menchu.

Tout le monde avait les yeux fixés sur le téléphone, attendant impatiemment de connaître l'identité du mystérieux criminel.

— Le tueur se nomme John Abbot, lâcha le détective Ernesto Quispe. Les policiers seront rapidement en mesure de le localiser... mais ce n'est pas moi qui les aiderai ! Du moins, pas tout de suite... Lorsque leurs recherches aboutiront à sa capture, Abbot sera accusé du meurtre de Benito Perez, alias Ramon Menchu, et ça, je ne le veux pas. Pas pour l'instant.

— Et la femme au sarrau blanc ? demanda Marie.

— On n'a rien sur elle, répondit le détective.

Par contre, après quelques vérifications, Ernesto avait appris que ce John Abbot était un Américain de Chicago, un homme riche, qui avait déjà investi beaucoup d'argent dans la recherche de trésors sous-marins. Il sondait les épaves de navires espagnols ou portugais reposant au fond des océans. Ils étaient plusieurs à dépenser, comme lui, des millions de dollars, toujours en quête d'or, de bijoux, de poteries anciennes, de cités perdues, de tombeaux de rois...

— Anna, Esteban et moi-même nous sommes demandés pourquoi John Abbot avait pris autant de risques. Il a tiré sur Benito Perez à visage découvert, et dans un lieu public. Pourquoi ? Pourquoi une personne si riche serait-elle venue d'Amérique du Nord jusqu'au Pérou, simplement pour se faire accuser de meurtre ? Il devait savoir qu'il serait vite identifié grâce aux caméras de surveillance. À moins que ce ne soit pas lui qu'on voie sur la vidéo...

Lou, Pablo et leurs parents se regardaient, sans comprendre à quoi Ernesto faisait allusion.

Saisissant leur malaise, le détective éclata de rire et expliqua qu'Anna avait fait un gros plan du visage de l'homme. En l'examinant minutieusement, elle avait observé, à la base du cou et de chaque côté des oreilles, la marque visible d'un masque.

— Un adversaire ! s'écria Marie, qui avait rapidement fait la déduction. Une autre personne est en quête du codex et elle a manigancé la supercherie pour qu'on accuse Abbot du meurtre de Benito Perez, alias Ramon Menchu. En le montrant à visage découvert, elle s'assurait que les forces policières le recherchent activement pour homicide. Ainsi, non seulement elle faisait disparaître Menchu, mais elle éliminait aussi un concurrent dans la course au trésor.

Fernando toussota et rappela à Marie qu'on parlait ici d'un codex maya et qu'on ignorait de quoi il traitait.

— Nous poursuivons notre enquête, conclut Ernesto avant qu'Esteban, son assistant, le remplace au téléphone.

— Je ne sais pas si cela concerne ce dossier, commença celui-ci, mais on vient de me dire que le jour où Benito Perez a été assassiné, à l'hôpital, un autre homme est mort de façon violente à Arequipa.

Surpris, Fernando demanda de qui il était question. Arequipa était pourtant un endroit tranquille. Deux meurtres en vingt-quatre heures, dans cette même ville, c'était pour le moins inhabituel.

Esteban leur apprit qu'il s'agissait d'un jeune informaticien du nom de José Santana. Son corps avait été retrouvé criblé de balles dans le cimetière local. Les deux individus qui s'affairaient à l'enterrer s'étaient sauvés à l'arrivée d'un gardien venu voir ce qu'ils faisaient. Les analyses balistiques n'étaient pas encore disponibles, mais un ami policier tiendrait Esteban au courant et on en saurait bientôt davantage.

Une fois l'appel terminé, Pablo et Lou exposèrent leur théorie à propos des pierres silencieuses et du jeu de pelote. Fernando admit que l'idée était intéressante. Pour leur part, les parents pensaient que l'Observatoire de Caracol serait un bon endroit pour dissimuler un codex. Il avait été bâti en fonction de l'apparition de certaines étoiles, à des périodes précises de l'année. C'était un lieu d'étude et d'observation du ciel. Quoi de plus logique que d'y cacher un document censé conserver les avancées scientifiques des Mayas ? Ils avaient l'intention d'examiner minutieusement les lieux au cours des prochains jours.

Marie et David s'éloignèrent du groupe pour partager leurs impressions sur la mort de l'informaticien.

— Il a été assassiné par balle, tout comme Benito Perez, souligna Marie. Je ne serais pas surprise qu'elles proviennent d'une seule arme !

Deux meurtres dans une même journée, et dans une petite ville comme Arequipa... Il était difficile de ne pas chercher à relier les deux événements.

9

Fascinant Tzompantli

Le jeudi, les deux familles se rendirent, pour une troisième matinée consécutive, sur le site archéologique de Chichén Itzá. Lou et Pablo choisirent de retourner voir le jeu de pelote. L'idée des pierres silencieuses avait fait son chemin. Ils décidèrent de passer au peigne fin le temple qui surplombait l'aire de jeu. Après un moment, Lou déclara ironiquement :

— Nous sommes contraints de soulever les pierres pour regarder sous le temple !

Pablo éclata de rire :

— Si mon père t'entendait, il en ferait une dépression. C'est compliqué, fouiller un site sans l'endommager... Viens, retournons plutôt au Temple des Guerriers.

Il ne leur fallut qu'une minute pour en atteindre l'entrée. Elle était délimitée par des piliers dont la base représentait deux énormes têtes de serpents. Un étrange personnage sculpté dans la pierre les regardait. Il reposait sur ses coudes, dans une position à moitié couchée.

— C'est un Chac-Mool, expliqua Pablo. Le plateau qu'il tient servait à recevoir les offrandes faites aux dieux.

— Il indique peut-être l'endroit où on cachait les codex, suggéra Lou.

— Les serpents représentent le dieu Kukulcán…, murmura Pablo, tout en réfléchissant à ce que Lou venait de dire.

— Le document qu'a préparé Fernando précise que Kukulcán peut aussi être figuré par une flûte taillée dans un os, avança Lou. On a ici les serpents – le bruit, les notes, la musique – et le Chac-Mool, la bouche bien fermée, en silence.

Ils détenaient plusieurs éléments, mais rien qui puisse constituer une hypothèse claire. Pablo suggéra d'en parler aux autres, plus tard.

Il sortit l'appareil photo du sac de Lou et ils s'élancèrent jusqu'au Tzompantli. La veille, la vue des 500 têtes sculptées sur la pierre et embrochées comme des kebabs les avait fascinés.

— Ils ne rigolaient pas trop à cette époque…, commenta Lou en observant de nouveau le Mur.

Ils prirent quelques clichés, puis tournèrent une vidéo qui montrait l'alignement des crânes. Ils allaient la truquer en remplaçant deux têtes par les leurs. Ils ajouteraient de la musique et, grâce à un logiciel d'animation, les crânes et leurs propres têtes se mettraient en mouvement pour chanter une chanson.

— Pourquoi ne pas utiliser *Me gustas tú*, de Manu Chao ? proposa Pablo tout en filmant.

— Je n'ai rien contre ! répondit Lou en lui volant un baiser.

Elle commença aussitôt à entonner le premier couplet tout en imaginant les squelettes se déplacer :

Me gustan los aviones, me gustas tú.
Me gusta viajar, me gustas tú.
Me gusta la mañana, me gustas tú.
Me gusta el viento, me gustas tú…

— Tu veux bien me traduire les paroles en français ? demanda Pablo à Lou alors qu'ils poursuivaient l'exploration du site.

Après son été au Québec, il avait une assez bonne connaissance du français, mais il ne saisissait pas toutes les subtilités de la langue. Alors, Lou s'exécuta :

J'aime bien les avions, tu me plais.
J'aime bien voyager, tu me plais.
J'aime bien le matin, tu me plais.
J'aime bien le vent, tu me plais…

Ils continuèrent leur promenade à travers les ruines, en chantant à tue-tête et en riant comme des fous.

— Regarde, s'interrompit soudain Lou, il y a des traces sur les pierres, on dirait du plâtre.

— Oui… c'est le stuc dont je te parlais. Les Mayas

ont brûlé des forêts entières pour le fabriquer. Ils s'en servaient pour recouvrir leurs constructions. Une vraie catastrophe écologique…

Le stuc et les toits de bois de certaines constructions étaient à peu près les seules choses qui s'étaient dégradées dans la cité. Elle avait très bien résisté au passage du temps. Pablo demanda à Lou ce qui, à son avis, subsisterait de Montréal dans mille ans si on abandonnait la ville maintenant.

— Sans doute pas grand-chose, répondit-elle. Probablement quelques édifices du Vieux-Montréal, les plus solides. Ceux bâtis en pierre, par exemple.

— Oui, admit Pablo. Tout le reste serait à l'image de notre civilisation : jetable. Briquets, stylos, essuie-tout, serviettes, couches… jetables. Une culture du « jeter après usage » !

Lou suggéra que les crânes chantent aussi un bout de la chanson *Plus rien*, des Cowboys Fringants. Pablo était bien d'accord… Il l'avait écoutée des centaines de fois depuis son séjour au Québec. Elle racontait l'histoire du dernier homme, après que la vie sur terre ait disparu à cause de l'action – ou de l'inaction – des hommes…

Il fredonna les derniers couplets :

Car il ne reste que quelques minutes à la vie
Tout au plus quelques heures, je sens que je faiblis

Je ne peux plus marcher, j'ai peine à respirer
Adieu l'humanité, adieu l'humanité...

Lou et Pablo poursuivaient leur visite en silence, se dirigeant vers la partie la plus ancienne du site, lorsqu'ils entendirent un craquement qui provenait du sous-bois.

— Qui est là ? cria Pablo, inquiet.

— Ce doit être un... *tejón*, suggéra Lou. En français, on le nomme blaireau. J'en ai vu trois, à l'entrée. Le gardien qui nous a ouvert les portes m'a dit qu'il y en avait beaucoup par ici. D'ailleurs, c'est lui qui m'a appris qu'on les appelait des *tejónes* en espagnol.

Rassuré, Pablo poursuivit sa marche. Au bout d'un moment, il fit remarquer à Lou que le sentier était de plus en plus escarpé.

Pablo quitta le chemin et descendit la côte en se tenant aux arbres. Il arrivait en bas de la butte quand Lou se décida à le rejoindre. Ensemble, ils repoussaient la végétation pour se frayer un passage. Après un moment, ils aperçurent plus loin devant eux un espace clairsemé. Lorsqu'ils l'atteignirent, ils découvrirent l'entrée de ce qui semblait être une caverne.

— Tu as une lampe de poche ? demanda Pablo.

— Oui, répondit Lou, excitée, en la lui lançant.

— Attends-moi ici ! recommanda-t-il avant de s'enfoncer à l'intérieur.

Lou n'était pas du tout enchantée de se retrouver

seule à cet endroit. Elle entendait des cris d'oiseaux, de rapaces, qui venaient de la forêt et ça lui donnait la chair de poule. Elle sortit son plan et estima qu'elle se trouvait quelque part entre les Mille Colonnes et l'Hôtel Mayaland. Elle entreprit de se concentrer sur le document de Fernando pour chasser ses peurs.

Peu de temps après, elle perçut un nouveau craquement... suivi de plusieurs autres. Elle se faufila jusqu'au plus haut rocher, y grimpa et cria :

— PABLO !

N'obtenant pas de réponse, elle s'assit. Pas question pour elle d'entrer sous terre. Rien qu'à y penser, ça lui donnait la nausée...

S'armant de courage, elle se répétait à voix basse, en frissonnant :

« Pourvu qu'il revienne... Pourvu qu'il revienne... »

Presque aussitôt, elle l'aperçut. Il venait vers elle en criant :

— Regarde ce que j'ai trouvé !

C'était un bloc de pierre, rectangulaire, un peu plus gros qu'une boîte de chaussures. Sur un de ses côtés, le plus large, étaient gravés des dessins...

— C'est un glyphe, expliqua Pablo, et en excellente condition ! Je retourne voir s'il y a autre chose à l'intérieur de la caverne. Pendant ce temps, va chercher mon père et les autres.

Il posa délicatement l'artefact sur le rocher, à côté de

Lou, et rebroussa chemin pour disparaître à nouveau dans la grotte.

Lou remonta vers le sentier, s'interrogeant sur la direction qu'elle devait prendre. Puis, elle se souvint avoir entendu ses parents manifester leur intention d'inspecter l'Observatoire de Caracol, le bâtiment qui avait la forme d'un escargot.

Environ une demi-heure plus tard, elle ramenait les quatre adultes sur les lieux de la découverte du glyphe. Fernando trépignait d'enthousiasme. Il n'en revenait pas : son fils avait trouvé un glyphe. Il se demandait ce que l'objet pouvait bien raconter…

— C'est un peu abrupt, les avertit Lou pendant qu'ils descendaient.

Puis, comme elle ne voyait personne, elle appela :

— Pablo ! Pablo, nous sommes là.

Lou ne reçut aucune réponse. Pourtant, c'était bien le bon endroit. Elle reconnut le rocher sur lequel elle avait grimpé. Le glyphe cassé gisait à côté.

— Pablo ! lança-t-elle de nouveau, de plus en plus inquiète.

Elle fouilla dans son sac pour trouver sa lampe de poche, mais se rappela l'avoir donnée à son ami.

— Quelqu'un a de quoi éclairer ? demanda-t-elle aux autres.

David ne répondit pas, mais il s'engagea immédiatement dans la caverne.

— Il est ici, cria-t-il quelques secondes plus tard, après avoir pénétré de quelques mètres dans la grotte. Teresa, viens tout de suite !

Tous ceux qui étaient restés à l'extérieur comprirent que quelque chose n'allait pas.

Pendant que Teresa examinait sommairement son fils, David expliqua aux autres que Pablo s'était sans doute frappé la tête sur la paroi rocheuse. Il saignait.

— Ça ne semble pas trop grave, conclut enfin Teresa. La blessure est superficielle. Mais il est toujours inconscient. Transportons-le en haut du sentier. Pour ça, nous avons besoin de deux grands bâtons.

— Je m'en occupe, lança Lou en partant à la recherche de branches qui pourraient faire l'affaire.

Teresa se tourna vers Fernando et David, et leur demanda :

— Donnez-moi vos chemises et vos ceintures, je vais fabriquer un brancard.

Pendant qu'ils s'exécutaient, elle défit la ceinture de Pablo et la tira lentement vers elle.

Ils enfilèrent les vêtements sur les deux bâtons que Lou avait apportés et attachèrent les trois ceintures pour solidifier la civière de fortune. Ils placèrent le garçon sur le brancard et, à l'aide d'un foulard, Teresa s'assura que la tête de Pablo reste fixe. Ainsi immobilisé, ils le hissèrent enfin sur le sentier.

Pablo était toujours inconscient lorsqu'ils le déposèrent sur le sol, en haut de la butte.

Teresa examina de nouveau son crâne. Il perdait beaucoup de sang.

— La blessure semble sans danger. Il saigne beaucoup, mais ce n'est pas profond… et son pouls est bon.

Malgré tout, elle regardait son fils, inquiète :

— Mais pourquoi tu ne te réveilles pas, Pablo ? murmura-t-elle d'un ton suppliant tout en lui caressant la joue.

Voyant qu'il ne réagissait pas, elle prit l'une de ses mains dans la sienne, et elle parla un peu plus fort, en s'approchant de son oreille :

— Est-ce que tu m'entends, Pablo ? Si oui, serre mes doigts.

Au bout d'un court moment, elle regarda son mari et fit non de la tête.

— J'appelle une ambulance et j'attends son arrivée à l'entrée, lança David d'une voix tremblante en s'éloignant.

Teresa déboutonna la chemise de son fils, puis vérifia que rien n'obstruait sa gorge.

— Aidez-moi, ordonna-t-elle en gardant son sang-froid, nous allons le mettre sur le côté.

Ils comptèrent jusqu'à trois et, d'un commun effort, retournèrent Pablo, prenant soin que sa tête repose sur le foulard. Aussitôt, Teresa lui ouvrit la bouche.

— On ne laisse jamais quelqu'un d'inconscient étendu sur le dos, dit-elle. Il pourrait s'étouffer...

Lou pleurait. En hoquetant, elle demanda à Teresa pourquoi Pablo ne reprenait pas ses esprits. L'infirmière répondit qu'elle ne le savait pas. Il faudrait faire certains tests pour vérifier qu'il n'ait pas subi de traumatisme crânien. Cette idée mit Lou dans un état de panique, mais elle respira profondément et parvint à se ressaisir. Elle voyait bien qu'elle n'était pas la seule à être inquiète.

Au bout d'un long moment, qui leur parut à tous comme une éternité, David revint, suivi de deux ambulanciers qui transportaient une véritable civière.

Teresa et Fernando montèrent dans l'ambulance avec leur fils.

Juste avant de partir, Fernando demanda à David :

— Ramasse les morceaux du glyphe. On ne peut pas laisser ça là. Les touristes vont arriver bientôt...

— Compte sur moi, répondit David. On vous rejoint à l'hôpital.

Il se précipita aussitôt vers le sentier menant à la caverne.

Lou avait les yeux rougis. Avec sa mère, elle attendit le retour de son père près de l'entrée du site archéologique. Il était 7 h 45 et, déjà, quelques personnes patientaient en ligne pour visiter l'ancienne cité.

— Maman... j'ai peur, avoua Lou.

Marie passa un bras autour de ses épaules.

— Tout va s'arranger. Ne t'inquiète pas…

En fait, Marie aussi se faisait du mauvais sang, mais ce n'était certainement pas le moment de s'étendre sur ses appréhensions.

10

Un réveil brutal

Le lendemain, Teresa et Fernando obtinrent les résultats des tests sanguins et des radiographies de Pablo. Il n'y avait rien d'anormal, à part une légère commotion cérébrale. Rien n'expliquait son état comateux.

— Il devrait se réveiller bientôt, conclut le médecin pour les rassurer. Il faut attendre.

Comme ils avaient très faim, Lou suggéra qu'ils aillent manger quelque chose au restaurant d'à côté pendant qu'elle demeurait aux côtés de Pablo.

— Bonne idée, dit David. Nous te rapporterons un sandwich.

Teresa hésita. Elle avait envie de rester, mais elle savait bien qu'à son âge, Pablo avait plus de chances de réagir aux propos de son amoureuse qu'à ceux de sa mère. Si quelqu'un pouvait le réveiller, c'était Lou.

Quand ils furent partis, la jeune fille prit place sur le bord du lit et saisit la main de Pablo dans la sienne. Elle était glacée. Lou se pencha vers lui et chuchota à son oreille :

— Reviens parmi nous, Pablo !

Elle lui chanta la chanson de Manu Chao qu'ils avaient choisie pour animer les têtes de morts, dans leur vidéo. Puis, elle entonna un bout de *Plus rien*, après quoi elle l'embrassa sur les lèvres, le front, et les joues… Comme il ne bougeait toujours pas, elle s'assit sur la chaise, à côté du lit, et entreprit de lui parler de leur projet de vidéo :

— Ce sera hilarant. Tu imagines, quand on va le mettre sur YouTube ? Viral ! Ce sera la vidéo dont tout le monde se souviendra…

Lou s'interrompit parce qu'elle avait cru entendre Pablo dire quelque chose. Elle approcha son oreille de sa bouche. Il marmonnait des mots inintelligibles.

Presque au même moment, un infirmier entra dans la chambre et demanda à Lou de le suivre. Il y avait du nouveau dans la condition de son ami, et il voulait lui en parler en privé.

— C'est une belle journée… Venez discuter de tout ça en prenant un peu d'air, lui offrit-il.

Il ouvrit la porte et recula pour la laisser passer.

Elle allait s'exécuter quand elle remarqua la main de l'infirmier, posée sur la poignée. Elle était sale. Les ongles de l'homme étaient noirs. Lou baissa les yeux et aperçut des chaussures couvertes de boue…

Lou se retourna pour saisir son chandail sur la chaise. En se redressant, elle nota que le sarrau de l'infirmier n'était pas à sa taille. Il était beaucoup trop petit.

Nonchalamment, elle se rassit en déclarant :

— Finalement, je vais rester avec Pablo. Il a besoin de moi… Vous discuterez avec ses parents lorsqu'ils seront de retour.

Elle avait essayé de parler d'un ton détaché, mais toute personne qui la connaissait aurait perçu son désarroi.

Embarrassé, Ali Jimenez réfléchissait. Il ne voulait pas que la fille crie, mais d'un autre côté, il devait la sortir de cet hôpital le plus vite possible. Son frère l'attendait dans une voiture devant l'entrée…

Il mit la main dans sa poche pour prendre le couteau qui y était dissimulé, mais une voix l'incita à interrompre son geste. Il leva les yeux et vit le jeune Pablo, assis dans son lit :

— Quelque chose ne va pas, Lou ? demanda-t-il.

En moins de deux, Ali Jimenez s'éclipsa.

Pour s'assurer qu'il n'essaie pas de rentrer de nouveau, Lou sauta sur ses pieds, ferma la porte et glissa une chaise sous la poignée pour la bloquer.

— On peut dire que tu es revenu à la vie juste au bon moment ! lança-t-elle à Pablo avec un sourire éclatant.

* * *

À leur retour, Teresa, Fernando, Marie et David furent surpris de trouver la porte de la chambre barrée.

— Je me suis probablement trompée, tenta de les convaincre Lou. J'ai vu cet infirmier... il m'a semblé louche et j'ai eu peur.

Elle prit le temps de leur raconter ce qui était arrivé, mais elle ne voulait surtout pas donner à ses parents un prétexte qui les inciterait à interrompre les fouilles de Chichén Itzá. Et puis, ça devait bien exister, des préposés d'hôpitaux qui ne prenaient pas soin de leur physique...

Teresa parla longuement avec Pablo. Il semblait n'avoir gardé aucune séquelle de sa mauvaise chute. Pour en être sûre, elle appela le médecin afin qu'il l'examine à nouveau. Ce dernier savait que Teresa était infirmière. Il confirma son diagnostic et donna congé à Pablo.

Une atmosphère joyeuse envahit aussitôt la chambre. Pablo n'avait aucun souvenir de ce qui s'était passé. Il se rappelait seulement un rêve qu'il avait fait alors qu'il était inconscient, un rêve très étrange...

Lorsqu'ils furent dans la voiture, Lou lui demanda de le raconter. Pablo s'exécuta :

— J'étais entré dans l'Inframonde, le lieu souterrain à neuf niveaux où, selon leurs croyances, les Mayas se retrouvaient après la mort... Devant moi, il y avait Kukulcán, le dieu à l'aspect de serpent à plumes. Il m'entraînait vers le fond de l'Inframonde. Je savais que, si j'y allais, je n'en reviendrais jamais. Ah Puch m'appelait, et le reptile me poussait vers lui...

— Ah Puch est le dieu de la mort, dans la mythologie

maya, expliqua Fernando. Il a souvent l'apparence d'un cadavre avec une tête de hibou. Pablo, tu as fait ce songe après avoir lu le document que je t'ai donné. Ton inconscient a bâti le rêve avec les images que tu avais gardées en mémoire.

Lou avait elle aussi compris la source d'inspiration de ce cauchemar : Pablo lui avait prêté un livre intitulé *Le Mythe de la création maya.*

— J'avais franchi le premier niveau, poursuivit Pablo, quand j'ai entendu le cri du hibou, le dieu de la mort. J'étais pétrifié. Je me suis rappelé le dicton : « *Cuando el tecolote canta... el indio muere.* »

Lou le traduisit en français pour ses parents :

— « Quand le grand hibou chante, l'Indien meurt. »

Pablo continua le récit de son rêve :

— Je savais que, si je m'enfonçais plus profondément, j'aurais de plus en plus de difficulté à remonter vers le monde des vivants. Je voyais la gueule ouverte et les yeux exorbités du serpent. Quand il bougeait, ses plumes fouettaient l'air dans un sifflement affreux. J'avais peur, j'avais froid...

C'est là que Lou était apparue dans son rêve. Pablo avait déjà franchi deux paliers, et le dieu de la mort était devant lui. Lou avait crié : « Arrête-toi ! On doit vaincre Ah Puch. » Puis, elle lui avait parlé très bas, en lui rappelant le récit qu'ils avaient lu tous les deux : « Pablo, tu es là où les hommes deviennent des dieux. Alors, deviens l'un d'eux à ton tour. Fais-moi apparaître à tes côtés. Pour ça, dessine un hologramme de mon corps... Le monde dans lequel tu te trouves a été engendré par l'imagination des hommes. Utilise la tienne, et tu pourras intervenir sur ce qui t'entoure. »

Il avait suivi ses conseils. Lou lui avait alors ordonné de sourire et de paraître le plus paisible possible : « Il faut que le serpent croie que tu es un dieu et que tu n'as pas peur. Maintenant, de ta main gauche, prends mes cheveux et soulève-les au-dessus de ma tête. Fais apparaître un couteau dans ta main droite. Nous allons le piéger. Tu dois paraître joyeux, nous devons rire tous les deux... Tu vas lui dire que tu as l'intention de me décapiter et, après, me ramener à la vie. Vas-y ! Coupe ma tête et laisse-la se balancer un moment dans les airs... »

Horrifié, mais le sourire tout de même collé aux lèvres, Pablo avait tranché la tête de Lou, la séparant de son corps en plein milieu du cou. Le sang avait giclé. Il avait eu envie de vomir, mais il avait fait exactement ce que la jeune fille lui avait demandé : son air était demeuré léger et réjoui.

Ah Puch avait semblé très impressionné.

Pablo avait compté à haute voix jusqu'à trente et, ensuite, il avait déclaré :

— Maintenant qu'elle est morte, je vais lui redonner la vie.

Sur ces paroles, il avait remis la tête de Lou en place.

Aussitôt, la jeune fille avait éclaté de rire, tout en poussant des cris de joie et en soulignant sa chance d'avoir vécu une aventure si extraordinaire. Elle avait alors soufflé à Pablo :

« Maintenant, propose-lui d'essayer à son tour. Il ne saura pas résister. Quand tu lui auras tranché la tête, ne lui redonne pas la vie. Laisse-le et remonte immédiatement dans le monde des humains. »

— Et c'est comme ça que se termine mon cauchemar, acheva Pablo avec le sourire.

— Quelle histoire ! s'exclama Marie.

* * *

Ils étaient tous encore absorbés par le récit lorsqu'ils rentrèrent à l'appartement. Marie et Lou commencèrent à cuisiner quelque chose pour le souper tandis que Fernando entreprit de mettre ensemble les morceaux du glyphe. La veille, il avait été trop inquiet pour accomplir cette tâche difficile. C'était un peu comme assembler un casse-tête en trois dimensions.

Intéressé, David l'observait.

— Il manque une pièce, remarqua-t-il, après un moment.

Fernando en arrivait à la même conclusion.

— Pourtant, Lou a bien dit qu'il était complet lorsqu'elle a laissé Pablo pour venir nous chercher, se rappela Fernando, déçu.

— Tu as raison, acquiesça David. Je vérifie quand même avec elle.

À la cuisine, Lou confirma qu'elle avait laissé le glyphe sur le rocher où elle s'était assise avant de courir les rejoindre. Et qu'il était en une seule pièce. Après l'accident, elle avait pensé qu'un gros animal était peut-être passé par là et l'avait fait tomber.

Fernando voulait absolument retrouver le morceau manquant :

— Demain matin, annonça-t-il, je retourne à Chichén Itzá.

— Je t'accompagne, lança David sur un ton ferme. Marie veillera à la sécurité de Teresa, de Pablo et de Lou.

* * *

Le jour suivant, alors que le soleil se levait sur la cité maya, les deux hommes atteignirent l'endroit où Pablo s'était blessé. Ils fouillèrent les environs, mais ne trouvèrent rien.

— Attends-moi ici, ordonna David, j'entre inspecter la caverne.

Il en ressortit quelques minutes plus tard, tenant à la main un morceau de pierre dont l'extrémité était tachée de sang.

— Ce n'était donc pas un accident..., murmura Fernando, incrédule.

David hocha la tête. Il émit l'hypothèse que celui qui avait attaqué Pablo avait peut-être brisé le glyphe sur le rocher.

Ils allèrent l'examiner, et trouvèrent des traces qui ressemblaient à de la craie blanche, probablement laissées par l'impact.

David en conclut que leurs enfants avaient été surveillés : quand Lou s'était éloignée de Pablo, quelqu'un en avait profité pour s'approcher, avait saisi le glyphe et l'avait cassé sur la pierre pour s'en faire une arme qu'il pourrait tenir dans une seule main. Le bruit avait sans doute alerté Pablo. Lorsqu'il avait aperçu l'homme venir vers lui, il avait probablement voulu se sauver. Comme il ne pouvait pas s'échapper par l'extérieur, il s'était enfoncé à l'intérieur de la caverne pour fuir son poursuivant. Ce dernier l'avait vite rejoint et assommé.

— J'ai vu une longue trace de sang sur le sol, dans la grotte, expliqua David. J'ai bien l'impression que celui qui s'est attaqué à Pablo avait entrepris de traîner son corps. Il se serait enfui en nous entendant arriver. Tout indique que son intention était bel et bien d'emmener Pablo avec lui. Pourquoi ? Ça m'échappe complètement…

David enveloppa le morceau du glyphe dans un imperméable qu'il avait apporté dans son sac à dos. Il faudrait faire analyser les empreintes.

Ils rentrèrent à l'appartement et mirent les autres au courant de leur découverte.

— Est-ce qu'il ne vaudrait pas mieux laisser ce travail à la police ? suggéra Teresa, inquiète.

— Je dois retrouver ce codex, rétorqua Fernando, de plus en plus entêté. Je ne peux pas faire confiance à personne. Si vous parlez à la police, nous aurons très peu de chances de le retrouver. Partez tous ! Mettez-vous en sécurité. Je continuerai les recherches seul.

David et Marie lui répondirent qu'il était hors de question qu'ils se défilent. Ils étaient les mieux placés pour protéger les deux familles. De toute façon, informer les autorités ne les mettrait pas à l'abri de ces gens. La meilleure solution était de trouver ce fameux document et de le confier au gouvernement mexicain. Alors seulement, on les laisserait tranquilles.

Par contre, ils se promirent d'être plus prudents… Beaucoup plus prudents !

11

Les recherches se poursuivent

Le lendemain matin, avant leur départ pour le site de Chichén Itzá, Teresa suggéra que Pablo et Lou restent à l'appartement en compagnie de Marie pendant que les autres partiraient à la recherche du codex.

Pablo, soutenu par Lou, s'opposa vivement à ce projet, disant qu'ils seraient plus en danger seuls tous les trois à Valladolid que tous ensemble à Chichén Itzá. David admit qu'ils avaient raison. Il valait mieux éviter de se séparer et se déplacer en groupe.

Et c'est ce qu'ils firent au cours des jours suivants. Ils parcoururent la cité maya dans un sens et dans l'autre, visitant encore et encore chaque édifice, examinant les glyphes et les fresques peintes sur la pierre, fouillant sommairement les sous-bois… Ils cherchaient un indice, un seul, qui les mettrait enfin sur une piste… En vain ! La tâche semblait impossible à réaliser. Le fameux codex restait introuvable. Fernando se demandait si ce voyage n'était pas finalement inutile. Pourtant, il avait eu la certitude que ce Benito Perez, qu'il avait connu sous le nom de Ramon Menchu, l'avait dirigé vers les ruines mayas de Chichén Itzá...

Ils poursuivirent leurs recherches avec une énergie qui diminuait sensiblement jour après jour. Ils se levaient chaque matin avec l'impression qu'ils allaient revivre exactement les mêmes événements que la veille.

Le mercredi 13 novembre, à 7 h 30, Fernando fut envahi d'un profond découragement. Ils en étaient à leur huitième jour sur le site de Chichén Itzá. Après aujourd'hui, il ne leur resterait plus que cinq jours. C'était trop peu... Il suggéra que tous se rassemblent devant le Castillo pour faire le point. Ils n'avaient plus que trente minutes avant que les portes soient ouvertes au public et Fernando n'avait plus le cœur à l'ouvrage.

Lou et Pablo demandèrent la permission de retourner rapidement au Tzompantli. Il leur manquait des images pour compléter leur mème.

— Votre « mème » ? répéta Teresa. Pouvez-vous m'expliquer de quoi il s'agit ?

— Un mème, c'est une idée qu'on lance sur le Web, expliqua Lou. Le nôtre aura la forme d'une vidéo. Les squelettes de Chichén Itzá vont chanter *Me gustas tu,* de Manu Chao, et *Plus rien,* des Cowboys Fringants. Dans la première chanson, l'interprète énumère tout ce qu'il aime et il finit en disant qu'il ne sait rien et qu'il est perdu. Le ton reste toujours léger et c'est très rythmé... Ensuite, on passe à une mélodie triste qui parle du désastre écologique causé par notre société de consommation. Le dernier humain sur terre fait le récit de la catastrophe qui n'a pu être évitée. J'ai bien l'impression que notre mème va être enrichi par d'autres internautes.

— Ils créent leurs propres légendes, expliqua Marie à Teresa. Maintenant, c'est sur Internet que l'on se transmet des histoires, et chacun peut les changer à sa guise… Comme on faisait autrefois avec les contes.

Pablo donna l'exemple d'un mème fait à partir d'une publicité ou d'une photo qu'on transforme en y juxtaposant un bout de film, ou en manipulant l'image pour la rendre plus drôle. Tout était possible… Certains faisaient aussi des collages sonores. Et tout ça circulait sur YouTube…

— Alors, Pablo et moi, on doit retourner au Mur des crânes pour finir notre vidéo, enchaîna Lou.

David leur permit d'y aller. Tout était si tranquille, ces derniers jours. Personne n'avait vu quoi que ce soit d'anormal.

— Mais dix minutes, pas plus, ordonna-t-il. Vous vous rendez là-bas au pas de course et vous en revenez de la même façon. Vous arrêtez seulement quelques minutes ! Est-ce que vous avez bien compris ?

— Oui, répondirent en même temps les deux jeunes en sautant sur leurs pieds.

Quelques minutes plus tard, ils étaient arrivés au

Tzompantli. Pendant que Lou prenait des photos et réalisait de courtes vidéos, Pablo marcha le long du mur en observant les têtes, alignées côte à côte. Il s'immobilisa à un endroit où la série était interrompue. Il manquait un crâne, qui avait été remplacé par de gros cailloux.

Il n'avait encore jamais remarqué cette anomalie...

Pablo entreprit d'enlever les pierres une à une, les faisant tomber sur le sol devant lui. Une impression confuse, mais tenace, le poussait à vider la cavité.

— J'ai terminé, cria Lou, absorbée dans la préparation de la vidéo, en rangeant son appareil photo. On va rejoindre les parents ?

Pablo ne réagit pas et poursuivit son travail.

Lou courut vers lui. Arrivée à sa hauteur, elle vit le trou laissé par la tête manquante et comprit pourquoi Pablo s'acharnait ainsi. Quelqu'un avait sans doute enlevé le crâne qui se trouvait là pour le remplacer par autre chose...

— On ne peut pas rester ici, mon père va être furieux, l'avertit Lou, malgré son envie de l'aider.

Pablo l'ignora et poursuivit frénétiquement son travail.

— *Qué hacen allí*[1] ? fit une voix menaçante.

Pablo et Lou se retournèrent. Un homme marchait

---

1. Qu'est-ce que vous faites-là ?

vers eux en gesticulant. À ses vêtements, ils comprirent qu'il s'agissait d'un gardien du site.

Et ils n'étaient pas les seuls à l'avoir déduit. Les frères Jimenez, qui observaient Pablo depuis un moment, l'avaient bien vu aussi. Ali, le plus vieux, regarda sa montre : huit heures. Le site archéologique venait d'ouvrir au public, ce qui expliquait l'arrivée du gardien. Bo tira sur la manche d'Ali, l'invitant à quitter les lieux. Ce dernier n'offrit aucune résistance.

De toute façon, le travail était terminé pour aujourd'hui. Ils ne prêtaient aucune importance à la découverte de Pablo. Le codex ne pouvait pas être dissimulé dans un si petit trou.

Les deux frères allaient profiter de la piscine de l'hôtel Mayaland. Le lendemain, ils attendraient les deux familles à l'entrée de Chichén Itzá, bien cachés comme à l'habitude, pour suivre la progression de leurs recherches.

Lou s'avança et expliqua au gardien la raison de leur présence. Elle prit un ton lent et s'appliqua à bien parler l'espagnol :

— Le père de mon ami est archéologue. Il enseigne à l'université d'Arequipa, au Pérou. Il a obtenu l'autorisation de circuler sur le site à partir de six heures du matin en compagnie de cinq autres personnes...

— Je suis au courant de tout ça, *señorita* ! Mais vous n'avez pas eu la permission de détruire la cité maya, articula l'homme, rouge de colère. Les lieux archéologiques sont protégés par des lois ! Vous ne devez en aucun cas déplacer les vieilles pierres…

Il était si énervé qu'il respirait bruyamment.

— Je ne sais pas pourquoi, poursuivit-il, des jeunes s'entêtent à vouloir mettre à nu ce morceau de mur. Le dernier qui a fait ça s'est retrouvé en prison pour une nuit !

Surprise, Lou lui demanda à quoi il faisait allusion. Le gardien lui jeta un regard noir.

— Nous allons tout replacer, c'est promis, s'exclama Lou en joignant les mains devant elle. Voyez vous-même : il s'agit seulement de quelques cailloux. On n'a touché à aucun bas-relief !

Constatant la bonne foi de Lou, il accepta de répondre à sa question :

— Il y a peu de temps, un garçon et une fille de votre âge sont venus ici. Je les ai pris sur le fait. À cet endroit ! s'écria-t-il de nouveau en colère et tout en montrant le mur. Ils avaient même retiré les deux roches voisines…

Il désignait les pierres qui étaient situées de chaque côté de la cavité que Pablo s'employait à vider quelques minutes plus tôt. Elles étaient ornées de crânes.

Le gardien ajouta que le garçon les avait remises en place sous sa supervision.

— Il y avait un grand trou dans le mur, murmura pensivement l'homme en constatant l'intérêt des touristes pour son histoire. Mais tout fut refermé en moins de deux.

Lou voulut savoir ce qu'il était advenu des deux adolescents. Le gardien répondit que la jeune fille s'était sauvée.

— De peine et de misère, d'ailleurs, car elle traînait un sac très lourd. Je n'ai fait que l'entrevoir, mais assez pour la reconnaître. C'était une fille de bonne famille, je connaissais son père, et alors j'en ai déduit qu'elle et son ami avaient l'intention de pique-niquer sur le site.

En disant cela, son visage s'était éclairé d'un sourire indulgent. Il se remémorait sans doute sa propre jeunesse...

— Heureusement, j'ai réussi à attraper le petit gars. Je l'ai puni pour montrer l'exemple...

Lou avait l'impression que l'homme se sentait coupable de l'avoir fait...

Le gardien expliqua qu'il avait laissé filer la fille, parce qu'après tout, elle n'avait touché à rien. Il n'avait pas non plus parlé d'elle aux autorités. En fait, personne ne savait qu'elle avait été impliquée dans l'histoire... sauf lui.

— Imaginez-vous, s'exclama-t-il, les yeux écarquillés, si tous les jeunes Mexicains se mettaient à déplacer les pierres de Chichén Itzá ! On se retrouverait avec un site sans aucune valeur archéologique.

— Je m'excuse, le pria Pablo. Vous avez parfaitement raison. C'était une erreur de ma part de toucher aux cailloux. Mais, euh... vous avez bien dit que vous aviez reconnu la fille ?

Avant que le gardien ait eu le temps de répondre, ils entendirent des hurlements :

— Et vous deviez revenir rapidement ! cria David, furieux, en s'approchant au pas de course.

Teresa, Marie et Fernando le suivaient. Ils étaient manifestement tous morts d'inquiétude et autant de mauvaise humeur que le père de Lou.

La jeune fille les implora de l'écouter avant de dire quoi que ce soit. C'était très important.

En voyant les yeux de Pablo qui se posaient tour à tour sur le gardien puis sur le mur, les parents comprirent que leurs enfants avaient découvert quelque chose.

Lou résuma en anglais, pour les quatre nouveaux venus, le début de leur conversation, puis elle les présenta au gardien de Chichén Itzá qu'elle invita, en espagnol, à poursuivre son histoire :

— Et vous disiez... pour celle qui est partie avec le gros sac ?

— C'était la fille de Benito Perez.

Le gardien avait prononcé le nom de Perez avec beaucoup de respect.

« Ramon Menchu... », se rappela Teresa, revoyant mentalement le pauvre homme mourir devant elle.

— Les membres de la famille Perez de Valladolid sont les descendants d'une lignée de scribes mayas. Jusqu'à la conquête espagnole, leurs ancêtres ont documenté les connaissances de notre civilisation. Ce sont eux qui avaient la charge de rédiger les fameux codex et de les protéger…

Fernando avala bruyamment sa salive. Enfin, ils étaient sur la bonne piste ! Il avait du mal à contenir sa surprise et sa joie.

En entendant le nom de Benito Perez, David s'était rendu compte à quel point cet entretien était important. Comme il se déroulait en espagnol, ni lui ni Marie ne comprenaient quoi que ce soit. Pourtant, il avait une envie irrépressible de demander à sa fille de traduire ses questions. Il échangea un regard avec sa conjointe et ils convinrent en silence de laisser Lou et Pablo se débrouiller. Ils étaient les premiers à avoir établi le contact et ils semblaient capables de soutirer les informations nécessaires. En plus, il ne fallait surtout pas effaroucher le gardien…

— Et qu'est-ce qui est arrivé au garçon ? demanda nonchalamment Pablo tout en continuant de remettre les cailloux dans la cavité.

Lou entreprit de l'aider, sous le regard satisfait de l'homme.

— Il a passé la nuit à la prison, déclara-t-il. On l'a relâché le lendemain et, quelques heures plus tard, le pauvre diable mourait dans un accident de la route.

Voyant que les touristes étaient suspendus à ses lèvres, il ajouta :

— Le garçon marchait tranquillement dans la rue

quand un chauffard l'a frappé pour ensuite prendre la fuite ! Si je le tenais, celui-là...

Son visage se rembrunit. Lou enchaîna une question, de peur que l'homme ne tourne les talons. Elle désirait obtenir quelques renseignements supplémentaires :

— Vous pouvez nous donner le nom du garçon ?

Le ton de sa voix était suppliant. Le gardien haussa les épaules.

— Johan Aguilar, de Valladolid. Je connais sa mère. Son mari est mort il y a quelques années, et Johan était leur seul enfant... Quelle tragédie ! Perdre son fils unique...

Lou acquiesça d'un hochement de la tête.

— Habitez-vous le même quartier ? demanda-t-elle.

— Oui, la mère habite près de chez moi... Elle a une maison sur la Calle 41, près de l'église Santa Ana.

Pablo s'informa quant à lui du prénom de la fille de Benito Perez.

— Claudia... La petite s'appelle Claudia, fit-il tristement. Mais ne la cherchez pas, elle a disparu. Le jour même de la mort de son ami, il y a déjà un mois... Son grand-père avait été assassiné la veille. C'est aussi pour ça que je l'avais laissée filer.

Il demanda l'approbation de ses interlocuteurs du regard.

— Vous avez bien fait ! s'empressa de dire Teresa.

Le gardien ajouta qu'il venait de prendre connais-

eux qui avaient la charge de rédiger les fameux codex et de les protéger...

Fernando avala bruyamment sa salive. Enfin, ils étaient sur la bonne piste ! Il avait du mal à contenir sa surprise et sa joie.

En entendant le nom de Benito Perez, David s'était rendu compte à quel point cet entretien était important. Comme il se déroulait en espagnol, ni lui ni Marie ne comprenaient quoi que ce soit. Pourtant, il avait une envie irrépressible de demander à sa fille de traduire ses questions. Il échangea un regard avec sa conjointe et ils convinrent en silence de laisser Lou et Pablo se débrouiller. Ils étaient les premiers à avoir établi le contact et ils semblaient capables de soutirer les informations nécessaires. En plus, il ne fallait surtout pas effaroucher le gardien...

— Et qu'est-ce qui est arrivé au garçon ? demanda nonchalamment Pablo tout en continuant de remettre les cailloux dans la cavité.

Lou entreprit de l'aider, sous le regard satisfait de l'homme.

— Il a passé la nuit à la prison, déclara-t-il. On l'a relâché le lendemain et, quelques heures plus tard, le pauvre diable mourait dans un accident de la route.

Voyant que les touristes étaient suspendus à ses lèvres, il ajouta :

— Le garçon marchait tranquillement dans la rue

sance, dans le journal local, de la mort du père de Claudia, survenue au Pérou.

— Je n'aurais jamais cru que le malheur puisse s'acharner autant sur une même famille ! Et Dieu sait qu'ils ne le méritaient pas !

Il s'éloigna finalement, tout en continuant de parler, comme pour lui-même :

— Trois décès et une disparue. Mais qu'est-ce que les gens ont dans la tête ?

Lou, Pablo et leurs parents restèrent un moment à contempler le mur qui se dressait devant eux.

— Les pierres silencieuses, murmura Fernando, en anglais. Il doit bien y avoir un sens à tout cela… Les crânes qui ornent ce mur racontent une histoire.

— Tu as raison, acquiesça Marie. D'une certaine façon, elles parlent !

Fernando poursuivit sa réflexion, faisant remarquer qu'au milieu de la rangée, on tombait sur des cailloux non sculptés, soit sans message, sans parole.

— Des pierres silencieuses…, reprit son fils.

— Allons au restaurant, à l'entrée du site, suggéra Marie. On y sera plus à l'aise et Lou pourra nous traduire ce qui s'est dit tout à l'heure…

— Et tâche de te rappeler de tout ! insista David.

Ils firent ce que Marie avait proposé. Lou se concentra pour se souvenir de la conversation avec le plus d'exactitude possible. Elle savait que, pour un enquêteur, chaque

La prospection du site de Chichén Itzá était maintenant terminée pour Lou, Pablo et leurs parents. Il ne leur servait à rien d'y retourner, puisqu'ils savaient que le codex n'y était plus. Mais les frères Jimenez allaient encore y tourner en rond, le lendemain et le surlendemain, à la recherche de la famille canadienne et de la famille péruvienne. En vain !

12

Une visite en Bolivie

Le jour suivant, les six voyageurs prenaient leur petit déjeuner en écoutant Fernando raconter, pour les divertir, une autre histoire concernant le Tzompantli :

— Je vous ai dit que les Mayas tranchaient la tête de leurs ennemis, puis qu'ils les empalaient sur un pieu. Imaginez-vous qu'il arrivait aussi qu'on fasse subir un sort similaire aux membres de l'équipe perdante, au jeu de pelote.

— Ah oui, c'était écrit dans ton document que les joueurs de l'équipe perdante étaient sacrifiés. C'est certain que les Canadiens gagneraient tous leurs matches de hockey si on appliquait le même règlement chez nous ! lança Lou en riant.

— Et La Blanquirroja, notre club national de soccer, se qualifierait pour la Coupe du monde, ajouta Pablo.

Le téléphone de Fernando sonna, interrompant la rigolade. C'était Ernesto Quispe. Fernando mit le cellulaire en mode mains libres.

— *Good morning !* dit Quispe en anglais, la seule

langue commune à toutes les personnes présentes. J'ai quelques réponses aux questions de Marie. Elle m'avait demandé de repérer l'endroit où l'ambulance avait recueilli Ramon Menchu…

— Benito Perez, corrigea Lou.

Le détective acquiesça. Il raconta qu'on avait trouvé Benito Perez dans une maison abandonnée, à une douzaine de kilomètres d'Arequipa. Un autre homme gisait, blessé, à quelques centaines de mètres de la demeure. Ernesto supposait qu'il s'agissait de l'individu qui avait appelé les secours, bien qu'on n'ait pas réussi à mettre la main sur son cellulaire.

— Pourquoi pensez-vous que c'est lui ? questionna Pablo, curieux.

— Celui qui a alerté la police s'exprimait en espagnol avec un fort accent américain… Et le blessé avait sur lui un passeport américain. Malheureusement, il est décédé lui aussi, le lendemain de son entrée à l'hôpital, avant d'avoir pu divulguer quoi que ce soit aux autorités…

Marie fit remarquer qu'on commençait à avoir pas mal de cadavres sur les bras.

— C'est vrai ! admit Ernesto.

Il soupira bruyamment et poursuivit :

— Il y a autre chose…

Il les informa qu'un mandat d'arrêt international avait été lancé contre John Abbot. En moins de deux, il avait été retrouvé à La Paz par la police bolivienne. Il était gardé en détention à la prison San Pedro en attendant son extradition vers le Pérou, où il serait jugé pour le meurtre de Benito Perez.

— Ils vont le pendre ? demanda Lou, spontanément.

— Non, répondit Quispe. La constitution de la République du Pérou précise que la peine de mort ne peut être appliquée que pour un acte de trahison en temps de guerre ou pour terrorisme.

Il poursuivit en expliquant que les médias avaient tenu toutes sortes de discours, contenant des informations plus ou moins erronées, au sujet de la tuerie perpétrée à l'hôpital. On avait d'ailleurs baptisé l'événement « le crime du Yankee cruel d'Arequipa ».

Pablo et Lou ne purent s'empêcher d'éclater de rire.

Ernesto se racla la gorge puis reprit le fil de son récit. Il s'était renseigné : John Abbot serait escorté à Arequipa dans une dizaine de jours. L'enquêteur leur annonça son intention de communiquer avec les autorités légales. Il désirait leur faire part de ce qu'Anna et Esteban avaient découvert, et qui suggérait l'innocence de John Abbot.

— Est-ce que tu peux attendre un peu avant de leur parler du masque ? demanda David. Quelques jours, tout au plus... Je voudrais me rendre à La Paz pour interroger ce John Abbot. Si je comprends bien, c'est un chercheur de trésor... Il doit bien avoir une idée de l'identité des gens qui essaient de l'incriminer. Des concurrents, certainement les mêmes qui s'en sont pris à Benito Perez et à son père...

Marie émit un doute. Ce monsieur Abbot ne voudrait probablement pas répondre à ses questions. Personne n'avait intérêt à ce que les journalistes soient sur ce coup.

— Si John refuse de me parler, je lui dirai que je sais comment faire tomber les accusations qui pèsent contre lui, expliqua David. Et c'est donnant-donnant : j'échangerai une information qui le disculpe contre son histoire !

Ernesto Quispe suivait la conversation. Il trouvait l'idée de David excellente. Mais il proposa de se rendre lui-même à La Paz. Ce serait plus simple : il pourrait y être dans quelques heures, tandis que David mettrait toute une journée, en sautant d'un avion à l'autre, car il n'y avait pas de vols directs entre Cancún et La Paz.

— Et puis, pour notre sécurité à tous, il vaudrait mieux que tu restes ici, David, conclut Marie.

Il fut convenu qu'on adopterait ce plan. Pendant qu'Ernesto irait parler à John Abbot, en Bolivie, tous les six attendraient, dans l'appartement de Valladolid, les résultats de son enquête.

Immédiatement après la conversation téléphonique, Ernesto communiqua avec un conseiller juridique de La Paz afin qu'il lui obtienne un droit de visite à la prison de San Pedro, ce qui fut fait dans l'heure. À la fin de l'avant-midi, il prenait l'avion en direction de La Paz.

* * *

En entrant dans la prison de San Pedro, Ernesto fut estomaqué. Il n'avait jamais imaginé qu'une telle institution carcérale puisse exister. L'établissement avait des allures de véritable ville, avec des rues, des quartiers. En marchant, Ernesto découvrit une église, des ateliers d'artisanat, un gymnase, un terrain de football, et même une garderie. Le gardien qui le conduisait à John Abbot lui expliqua que ce lieu était une microsociété, avec des dirigeants élus chaque année, et que la plupart des gens qui y vivaient avaient été condamnés pour des délits liés au trafic de drogue. Les huit quartiers de la prison étaient classés selon un système d'étoiles. Les détenus riches avaient de spacieux appartements « cinq étoiles » avec tapis, salle de bain et téléviseur. À l'opposé, le quartier « une étoile » était constitué de minuscules taudis dans lesquels s'entassaient jusqu'à cinq détenus.

La cellule de John Abbot devait bien mériter quatre étoiles, pensa Ernesto en y pénétrant. En voyant entrer l'enquêteur, Abbot se leva et vint à sa rencontre. Il semblait heureux de recevoir un visiteur.

Ernesto lui avait apporté des journaux et des revues en anglais, ainsi que des fruits et des gâteaux. Pendant que l'Américain s'asseyait à la table pour dévorer les pâtisseries, le détective l'observait avec attention.

L'homme, la cinquantaine bien sonnée, était un géant

blond aux larges épaules et au visage halé par le vent et le soleil. Ernesto avait lu durant ses recherches que, depuis une vingtaine d'années, Abbot parcourait les océans et les mers intérieures à la recherche d'épaves.

Lorsque John Abbot fut rassasié, il demanda à Ernesto quel était le but de sa visite. Ernesto se présenta à titre d'enquêteur privé. Il alla droit au but : il désirait qu'Abbot lui donne les noms de ses principaux concurrents dans le domaine de la chasse au trésor.

Il n'avait pu s'empêcher d'esquisser un sourire en prononçant ces derniers mots.

— Je ne vois pas en quoi ça vous concerne, répondit sèchement le détenu.

— J'ai la certitude que vous n'êtes pas coupable du meurtre de Benito Perez, articula lentement Ernesto Quispe tout en caressant sa barbichette.

— Vous êtes bien le seul ! s'exclama l'homme, surpris.

Il avait baissé la tête. Son dos était maintenant voûté. Il expliqua à Quispe que son avocat avait visionné la vidéo des caméras de surveillance de l'hôpital d'Arequipa, au Pérou, et qu'il l'exhortait à plaider coupable. Puisque tout l'incriminait, il devrait se contenter de négocier une peine moins sévère... Mais John Abbot refusait de se faire condamner pour un crime qu'il n'avait pas commis. Il avait beau jurer à son procureur que jamais de sa vie il n'avait mis les pieds à Arequipa, ce dernier ne le croyait pas. Selon lui, son visage était clairement identifiable sur la vidéo. Il n'y avait absolument aucun doute possible.

Comme un grand arbre qui s'abat, John Abbot commença à pleurer.

Surpris, Quispe redressa un sourcil. Il ne s'était pas attendu à de telles démonstrations de chagrin.

— Et si je vous disais, articula lentement Ernesto Quispe, juste assez fort pour être entendu, que j'ai la preuve de votre innocence...

D'un bond, John Abbot se leva. Une lueur d'espoir éclaira ses yeux baignés de larmes. Ernesto lui fit signe de se rasseoir.

— D'abord, vous devez répondre à mes questions. Qui sont vos principaux compétiteurs ? Et je veux connaître la nature exacte de vos activités au cours des derniers mois. Ensuite, je vous donnerai la solution à tous vos maux.

John Abbot réfléchit. Il n'avait plus rien à perdre : ou bien il était traqué sans merci par un concurrent féroce et sans morale, ou bien il croupissait en prison pour le reste de ses jours. Et, à Arequipa, sa cellule serait assurément moins confortable que celle qu'il occupait actuellement. Si la chance soufflait de son côté, il pourrait faire enfermer les véritables responsables de la mort de Benito Perez et continuer encore de nombreuses années à sillonner les océans...

— Je vais tout vous dire, se résigna-t-il. Celui qui se cache derrière le meurtre de Benito Perez s'appelle Adam Hill. C'est un Texan toujours armé jusqu'aux dents, et qui est du genre à être plutôt rapide sur la gâchette. Deux hommes travaillent pour lui : Bo et Ali Jimenez, deux frères, des Costaricains que seul l'argent intéresse…

Abott confia à l'enquêteur que cet Adam Hill suivait comme lui la piste de Benito Perez, dans le but de retrouver un codex devant mener à des tablettes d'or et, éventuellement, à d'autres trésors mayas.

— Si nous avions pu joindre nos forces plutôt que de nous battre… mais c'était impossible. Moi, je voulais convaincre Perez de me vendre le codex. Adam, lui, n'achète jamais rien. Il prend. Il vole, purement et simplement.

Le prisonnier raconta qu'Adam Hill avait fait éliminer le père de Benito Perez pour faire pression sur son fils. Hill menaçait de s'attaquer ensuite à sa fille si Perez ne dévoilait pas l'emplacement du précieux document. Alors, Benito avait caché la petite au couvent de San Bernardino de Valladolid et il s'était enfui à Arequipa, au Pérou.

« On approche, se disait Ernesto. C'est là qu'il a changé son identité pour celle de Ramon Menchu… »

John Abbot expliqua que le but du voyage de Perez était de rencontrer Ricardo Estrella, un spécialiste de la civilisation maya, ami de son défunt père. Il avait l'intention de faire transférer le codex au Musée national d'anthropologie de Mexico, mais il voulait s'assurer que tout serait fait dans l'ordre. Il souhaitait que plusieurs archéologues s'unissent pour diffuser le contenu du document de façon cohérente et efficace.

Le détective se souvint que le professeur Estrella était un collègue de Fernando. C'était lui qui avait facilité l'accès au site de Chichén Itzá pour les deux familles ; lui aussi qui avait appris au petit groupe la véritable identité de Ramon Menchu. Les informations se recoupaient... C'était excellent !

John Abbot se leva et commença à marcher d'un bout à l'autre de la cellule en faisant des allers-retours. Il cherchait à remettre ses idées en place.

— J'étais au courant de la visite que Benito Perez devait faire au professeur Estrella, continua-t-il.

— Comment ? voulut savoir Ernesto Quispe.

John Abbot éluda la question en précisant qu'un de ses employés était un Américain. Il traquait Benito depuis son arrivée au Pérou. Il avait été témoin de son enlèvement par les hommes de main d'Adam Hill et les avait suivis jusqu'à une maison abandonnée, à quelques kilomètres de la ville d'Arequipa. Là, en les épiant par une fenêtre, il avait vu les ravisseurs s'en prendre au Mexicain. Alors, l'Américain lui avait téléphoné pour le mettre au courant des événements.

— Je lui ai recommandé d'alerter immédiatement les policiers et de demander une ambulance, dit John Abbot.

— Pourquoi ne l'avez-vous pas fait vous-même ?

— Au cas où on retracerait l'appel, répondit d'un trait le prisonnier.

C'est après ce coup de fil que Ramon Menchu avait été emmené à l'hôpital.

— Vous savez, monsieur Quispe, je ne suis pas un meurtrier. La vie est quelque chose de trop précieux pour qu'on la joue pour quelques millions de dollars.

Il réfléchissait tout en hochant la tête. Il ajouta :

— Mon employé s'est exécuté, puis il m'a rappelé pour m'informer qu'il avait été découvert. S'il lui arrivait quelque chose, me dit-il d'une voix haletante, il voulait que je m'occupe de ses enfants. Puis, plus rien. Je crois qu'on a jeté son téléphone à l'eau, car j'ai entendu un « plouf ».

Ernesto pinçait les lèvres. Il pensait à la fille de Benito Perez. Elle était à son tour en danger...

— Savez-vous où se trouve Claudia Perez ?

John Abbot continuait de faire les cent pas dans sa cellule. Tout en marchant, il tentait de mettre de l'ordre dans son récit. La dernière fois qu'il avait entendu parler de Claudia Perez, elle courait dans les rues de Valladolid, cherchant à échapper aux hommes d'Adam Hill. À sa suite, un garçon semblait vouloir la protéger. Quand les deux frères costaricains s'étaient approchés d'elle avec leur véhicule, il s'était jeté devant la voiture. Après l'impact, Bo et Ali avaient fui immédiatement et un employé de John avait tenté de porter secours au blessé. Entretemps, la fille de Benito avait disparu.

— Je crois que c'est tout ce que je peux vous dire, conclut John Abbot.

Ernesto Quispe sortit alors de sa poche sa tablette électronique et il lui montra l'enregistrement provenant des caméras de surveillance de l'hôpital d'Arequipa.

— Vous n'avez jamais vu ces images ?

— Non, jamais, acquiesça Abbot.

À mesure que les scènes défilaient, le visage du détenu se transformait.

— C'est bien moi ! Mon avocat avait raison : je n'ai aucune chance de m'innocenter.

Il fixait la vidéo, incrédule.

— Mais je ne comprends pas... Est-ce que j'aurais été drogué et envoyé là pour tuer cet homme ? Oh... quel cauchemar !

Ernesto posa la tablette sur la table et leva les deux mains en signe d'apaisement.

— Regardez les images de plus près.

L'enquêteur effectua un zoom sur le cou du tueur. On voyait parfaitement la marque d'un masque.

Abbot prit Quispe dans ses bras.

— Vous venez de me sauver la vie !

13

Où est Claudia ?

Le lendemain matin, à 7 h 30, Ernesto téléphona à Fernando et fit à ses amis un exposé détaillé de sa visite à la prison de San Pedro.

— Marie avait raison ! commença-t-il. Celui qui est l'instigateur de l'exécution de Benito Perez est un concurrent de John Abbot dans la course au codex. Son nom est Adam Hill, et il se fait aider de Bo et Ali Jimenez, deux frères costaricains.

Pablo et Lou se prirent par la main. Ils se rappelaient l'incident survenu dans le magasin où Lou avait acheté ses sandales. Le Costaricain qui lui avait offert de travailler sur un plateau de cinéma était probablement l'un des deux frères !

Ernesto leur envoya une photo de l'Américain. Il l'avait trouvée dans une revue d'archéologie. Elle accompagnait un article qui portait sur les chercheurs de trésors peu scrupuleux en matière de conservation des sites. Leur ennemi avait maintenant un visage. Ils examinèrent la photo sur le minuscule écran du cellulaire de Fernando.

— C’est également lui qui a tué le grand-père de Claudia, le père de Benito Perez, compléta le détective.

— Lui… ou ses employés ! ajouta David.

Cet homme ne faisait certainement pas son sale boulot lui-même.

* * *

Pendant ce temps, à Chichén Itzá, Adam Hill et les frères Jimenez cherchaient en vain les deux familles pour la deuxième matinée consécutive. Les jeunes étaient introuvables, tout comme leurs parents.

Adam comprit qu’il s’était passé quelque chose.

— Vous êtes deux incapables ! lança-t-il à ses hommes de main.

Adam questionna plusieurs gardiens afin de retrouver la trace des voyageurs. Le dernier qu’il rencontra prit les devants et lui demanda s’il était avec le groupe qui avait reçu l’autorisation d’entrer sur le site avant les heures d’ouverture. Il ne les avait pas vus depuis qu’il avait discuté avec eux, deux jours plus tôt.

— Oui, bien sûr, répondit Adam. Je suis des leurs… et je les cherche, justement.

Le gardien hocha les épaules.

— Vous dites leur avoir parlé ? l’interrogea Adam.

Comme il faisait un signe affirmatif de la tête, Adam

proposa au gardien de l'accompagner au café de l'hôtel Mayaland, où il logeait. L'homme était ravi d'être invité dans un si bel endroit. Il avait bien une demi-heure à lui consacrer, en attendant la foule des touristes qui se présenterait, comme tous les jours, autour de huit heures.

Bo et Ali les suivirent comme deux petits chiens de poche en ruminant leurs malheurs. Leur patron couperait encore leur salaire...

Bientôt, ils furent assis tous les quatre à la terrasse du restaurant, un peu en retrait des autres clients. Ali et Bo observèrent avec quelle facilité Adam Hill obtint les renseignements qu'il désirait. Il avait une allure qui portait à la confidence : un sourire épanoui et la prestance d'une personne qui n'a aucun souci... Il posait question sur question, comme s'il voulait simplement faire la conversation, sans que son interlocuteur se doute de quoi que ce soit. Pour le mettre en confiance, il avait commandé à peu près tout ce que le menu avait à offrir, au grand plaisir du gardien qui racontait sans se méfier l'histoire du jeune Johan Aguilar.

— Il fouillait dans les pierres, en compagnie de Claudia Perez...

Adam écoutait d'une oreille distraite. Il était au courant de toute cette affaire, bien sûr, puisque c'était Ali et Bo qui avaient poursuivi les adolescents à travers la ville de Valladolid et provoqué l'accident au cours duquel le garçon avait trouvé la mort. Par contre, le récit du gardien lui fit réaliser qu'il était impératif de retourner rendre visite à la mère du jeune Aguilar... Elle en savait sans doute plus qu'ils ne le croyaient, et ce n'était certainement qu'une question de temps avant que Fernando et sa bande se rendent chez elle.

Mais avant tout, il lui fallait régler un autre dossier... et de toute urgence.

Aussitôt que le gardien fut parti, Adam et ses hommes de main quittèrent l'hôtel Mayaland. Il était à peine dix heures du matin lorsqu'ils gagnèrent la ville de Valladolid, où ils louèrent deux chambres à l'hôtel El Mesón del Marqués.

* * *

Au même moment, Fernando mettait fin à la conversation téléphonique avec Ernesto. Les deux familles quittèrent l'appartement et se rendirent au restaurant le plus proche, où ils dresseraient un plan de match pour le reste de la journée. Rien n'avait changé : la priorité était de retrouver au plus vite Claudia Perez. Ils iraient d'abord au couvent mentionné par Ernesto, puis ils visiteraient la mère de Johan Aguilar.

Ils traversèrent à pied une partie de la ville et arrivèrent bientôt en vue de San Bernardino. L'imposant bâtiment de pierres grises, aux portes et aux fenêtres en arcade, s'élevait au milieu d'un vaste terrain telle une vraie forteresse !

Ils apprirent que l'édifice n'était plus un couvent depuis longtemps, et qu'il abritait maintenant le Musée du patrimoine culturel de Valladolid ainsi que l'hôtel de ville. Comment Claudia aurait-elle pu s'y cacher ?

Ils visitèrent les lieux, s'attardant dans le jardin intérieur où poussaient des palmiers et d'innombrables fleurs. Au milieu de la cour se trouvait La Noria, une structure hydraulique recouvrant l'ouverture d'un grand puits naturel.

— Le bâtiment est construit autour de la bouche du cénote Sis-Ha, leur dit un Mexicain entièrement vêtu de blanc et portant un chapeau panama.

— Est-ce que des gens habitent encore ici ? demanda Teresa.

L'homme les informa que non.

Leur visite s'avérant infructueuse, ils quittèrent les lieux et traversèrent la rue pour entrer dans un petit restaurant.

Marie proposa alors de se séparer. Inutile qu'ils rencontrent tous la mère de Johan Aguilar. Comme David et elle ne parlaient pas l'espagnol, Teresa, Fernando, Lou et Pablo s'en chargeraient.

— Je crois que ma présence serait aussi de trop, déclara Fernando. Trois personnes seront suffisantes, surtout si l'on ne veut pas alarmer cette pauvre dame.

— Bonne idée, dit David. Allez-y, nous vous attendrons.

Teresa, Lou et Pablo se mirent donc en route. Arrivés près de l'église Santa Ana, ils demandèrent à un passant où se trouvait la résidence des Aguilar. Il la leur désigna aussitôt d'un signe de tête.

La mère du jeune défunt vint leur ouvrir. Elle était habillée de noir et ses yeux semblaient rougis par toutes les larmes qu'elle avait versées. Ils se présentèrent et, tout en prenant soin de ne pas l'effaroucher, ils lui expliquèrent qu'ils tentaient de comprendre les circonstances du décès de Johan. Ils avaient des raisons de croire qu'il n'était pas la seule victime de gens sans scrupules...

— Que voulez-vous savoir ? demanda simplement Mme Aguilar.

Elle était surprise que quelqu'un s'intéresse à Johan. Les policiers avaient déjà classé l'affaire, malgré le fait que celui qui avait heurté son fils n'ait pas été retrouvé...

— Quand avez-vous vu pour la dernière fois la fille de Benito Perez, Claudia ? interrogea Teresa.

— La journée de la mort de Johan, murmura lentement la mère.

Elle se mit à pleurer à chaudes larmes.

— La petite était très agitée, ajouta-t-elle entre deux sanglots. Elle disait qu'on avait frappé Johan intentionnellement.

À ce souvenir, elle pressait nerveusement ses mains l'une contre l'autre.

— Est-ce que Claudia transportait un sac ?

— Oui, répondit-elle. Elle l'avait déposé sur le plancher de la cuisine.

— Vous savez ce qu'il y avait à l'intérieur ? enchaîna Pablo.

Un bruit provenant de la pièce d'à côté interrompit la discussion.

La dame jeta un coup d'œil vers la porte à sa gauche et s'empressa de dire :

— C'est ma sœur… ne vous inquiétez pas !

Lou demanda rapidement :

— Avez-vous une idée de l'endroit où a pu se cacher Claudia ?

Mme Aguilar secoua la tête, faisant signe que non.

Teresa expliqua qu'ils devaient la trouver de toute urgence, car sa vie était certainement en danger.

Pablo aperçut, sur le mur, derrière la femme, la photo d'une adolescente et d'un garçon. Ils s'enlaçaient, amoureusement.

— Est-ce Johan et Claudia ? demanda-t-il, en désignant l'image.

— Oui, murmura-t-elle.

Teresa et Lou s'approchèrent pour regarder la photo. Johan avait passé un bras autour du cou de Claudia. Elle avait un teint foncé. Comme elle se tenait légèrement de profil, on pouvait remarquer son large front légèrement aplati. Ses cheveux d'un noir de jais tombaient sur ses épaules. C'était, à n'en pas douter, une descendante des Mayas…

Tandis que la vieille femme contemplait elle aussi l'image, Teresa, Lou et Pablo percevaient la douleur immense, inconsolable, d'une mère qui a perdu son enfant.

Pablo lui demanda la permission de photographier le cliché des deux jeunes avec son propre appareil, afin d'en garder une copie. Sans attendre la réponse, il s'exécuta.

— Je ne connais personne de la famille de Claudia, dit Mme Aguilar. Je crois qu'ils sont tous morts. Et je ne sais pas si elle avait des amis… Je n'ai pas parlé d'elle à la police. Ils ne sont même pas au courant qu'elle se trouvait à Chichén Itzá lorsque Johan a été arrêté. Le gardien est un homme bien. Il connaît la série des malheurs qui a accablé cette famille et n'a pas voulu en ajouter davantage.

Voyant que Mme Aguilar était bouleversée et probablement épuisée, ils quittèrent bientôt les lieux en la remerciant. Une fois dans la rue, ils rejoignirent les trois autres. En les apercevant, Pablo s'exclama aussitôt :

— J'ai la photo de Claudia !

David, Marie et Fernando contemplèrent le cliché en souhaitant que la jeune fille soit toujours en vie… David était heureux d'avoir pris la décision de ne pas abandonner les recherches : ils étaient si près du but !

— Claudia est en possession du codex, j'en suis certain, dit-il. Nous devons la retrouver avant qu'Adam Hill ne le fasse.

Ils ne pouvaient qu'espérer qu'il ne soit pas trop tard…

14

Une course à travers la ville

Pablo transféra la photo de Claudia sur son ordinateur. À l'aide d'un logiciel, il isola le visage de la jeune fille et le recadra. Il se rendit ensuite dans un grand magasin pour tirer quelques exemplaires de l'image. Il en profita pour imprimer aussi celle d'Adam Hill.

Munis de ces documents, les membres des deux familles poursuivirent leur enquête dans les rues de Valladolid. Ils s'arrêtaient dans les boutiques, parlaient aux passants, frappaient aux portes des maisons en montrant la photo de Claudia Perez.

Jusqu'au soir, ils marchèrent des kilomètres et des kilomètres pour tenter de retrouver la trace de l'adolescente. Épuisés, ils se réunirent, à 21 heures, dans la cuisine de leur appartement. Assis autour de la table, ils établissaient un plan pour le lendemain. Aucun d'entre eux ne se doutait qu'Adam Hill et ses hommes étaient entrés dans les lieux, cet après-midi-là, et qu'ils avaient, comme à Puerto Morelos, installé des micros dans toutes les pièces.

Marie leva une main pour obtenir la parole. Elle proposa qu'on résume toutes les informations recueillies jusqu'à présent, en commençant par la visite de Teresa, Lou et Pablo au domicile de Mme Aguilar. Elle se tourna vers Lou :

— J'aimerais que tu me traduises de nouveau tout ce que tu y as entendu.

De mauvaise grâce, Lou s'exécuta. Parfois, sa mère l'énervait avec sa fichue manie de revenir sur les événements et de récapituler les faits à l'infini... Elle exagérait ! Lou se prêta néanmoins à l'exercice, à contrecœur.

— Enfin, conclut Lou après avoir relaté les premières minutes de l'entretien, la mère de Johan a parlé du sac que Claudia transportait et qu'elle avait déposé dans la cuisine. Pablo lui a demandé si elle savait ce qu'il y avait à l'intérieur. Après, il y a eu un bruit dans la pièce d'à côté. Mme Aguilar a dit que c'était sa sœur. Puis, Pablo a pris une photo du cadre accroché au mur et on est tous partis. Voilà !

Elle allait ajouter quelque chose quand Marie lui fit signe d'attendre un peu. Tout en écoutant sa fille, elle avait feuilleté les pages de son carnet de notes et avait retrouvé les paroles du gardien de Chichén Itzá : il n'avait mentionné que la mère de Johan, aucune tante...

— Si j'ai bien compris, reprit Marie, le bruit qui provenait de la pièce d'à côté a interrompu votre discussion. C'est bien ça ?

— Oui, acquiesça Pablo. Je n'ai pas obtenu de réponse à ma question...

— Et si la personne à l'origine de ce bruit avait voulu, justement, que tu n'obtiennes pas cette information ? Elle aurait cherché à attirer l'attention de Mme Aguilar afin qu'elle se taise...

— Oh, mon Dieu ! souffla Teresa en mettant sa main devant sa bouche.

Tous avaient en tête la même chose... et Adam Hill et ses hommes, qui avaient suivi la conversation à distance, étaient du nombre !

— J'appelle un taxi ! lâcha Fernando. On doit retourner chez cette dame. Elle a tort de penser qu'elle protège la petite en nous mentant.

Pablo et Lou avaient déjà passé la porte de l'appartement au pas de course, ignorant les cris de David qui leur ordonnait de revenir... Le dernier mot qu'ils entendirent fut « danger », mais ils filaient déjà à toute allure dans les rues de Valladolid. Ils savaient que c'était le moyen le plus rapide d'arriver chez Mme Aguilar.

Moins de dix minutes plus tard, ils frappaient à sa porte. Elle mit un peu de temps à leur ouvrir. Elle semblait très contrariée de les voir.

— Je vous ai tout dit. Maintenant, laissez-moi tranquille, leur demanda-t-elle d'un ton sec.

Pablo et Lou se faufilèrent malgré tout dans la maison.

— Claudia est en danger, l'avertit aussitôt Lou. Je vais tout vous expliquer, vous comprendrez que je ne mens pas.

Elle parla à toute vitesse. D'abord, de Benito Perez, le père de Claudia, qui était ami de Ricardo Estrella, un professeur spécialiste des Mayas qu'il devait rencontrer à Arequipa.

Surprise, la dame s'assit et écouta.

Pablo relata ensuite l'arrivée de Benito Perez à l'hôpital d'Arequipa et sa mort en présence de ses parents. Avant de mourir, le *señor* Perez avait soufflé à Fernando Sanchez : « *Mexico, Tun, Pozo, Muculbil, Boca, Ch'een-ch'enki...* »

Pablo n'eut pas le temps de poursuivre. Une jeune fille entra dans la pièce. C'était Claudia, il n'y avait aucun doute...

Ils se regardèrent un moment, en silence. Avant qu'elle n'ouvre la bouche, ils entendirent frapper à la porte.

Pablo et Lou pensèrent qu'il devait s'agir de leurs parents. Pablo suggéra à Mme Aguilar de jeter un coup d'œil par la fenêtre pour s'en assurer. Il l'accompagna et découvrit avec stupeur qu'Adam Hill se trouvait sur le perron de la maison, avec deux autres hommes.

— N'ouvrez surtout pas ! s'exclama l'adolescent. Sortons par la porte arrière.

Une fois dans la cour, il se tourna vers Mme Aguilar,

prit ses mains dans les siennes, et lui expliqua rapidement :

— Ces gens sont très dangereux. Ce sont eux qui ont tué votre fils… Réfugiez-vous chez des voisins, tandis que nous mettrons Claudia en sécurité. Restez cachée, surtout !

Lorsqu'elle demanda où ils iraient, il répondit qu'il valait mieux qu'elle ne le sache pas.

Les trois jeunes s'enfuirent en courant, mais Claudia était incapable de suivre leur rythme. Lou proposa de l'emmener à leur appartement. Là, elle serait à l'abri. Pablo acquiesça, et ils sautèrent aussitôt dans un taxi.

À leur arrivée, le logement était vide. Les autres étaient déjà partis. Lou voulut téléphoner à son père, mais trouva leurs cellulaires dans les chambres. Dans leur précipitation, ils ne les avaient pas emportés. Pas moyen de les joindre. Pablo et Lou espéraient qu'ils ne se retrouvent pas face à Adam Hill…

Ils attendirent donc tous les trois, morts d'inquiétude. Pas question de se séparer : il fallait protéger Claudia.

Pendant ce temps, le taxi des parents s'immobilisait enfin devant le domicile de Mme Aguilar. La voiture avait mis du temps à démarrer et, ensuite, elle avait été prise dans des embouteillages. Ils étaient toujours dans le véhicule lorsqu'ils virent Adam Hill et deux autres hommes sortir de la maison.

— Ces deux-là étaient dans l'avion, murmura Teresa. Je les reconnais !

« Ça signifie que, pendant tout ce temps, on nous a espionnés, pensa Marie. C'est peut-être l'un d'eux qui a attaqué Pablo dans la caverne et qui, plus tard, s'est fait passer pour un infirmier à l'hôpital de Valladolid... »

Ils attendirent que les trois hommes s'éloignent, puis Marie, Teresa et Fernando descendirent du véhicule. Ils n'eurent pas à frapper puisque la porte était restée ouverte. Fernando demanda à haute voix si quelqu'un était là. N'obtenant pas de réponse, ils entrèrent tous chez Mme Aguilar.

Pendant ce temps, David ordonnait au chauffeur de suivre la voiture de location dans laquelle Adam Hill et ses comparses étaient montés.

— Où sont Lou et Pablo ? murmura Teresa, angoissée.

Ils avaient fait rapidement le tour des pièces de la maison et n'avaient trouvé personne. Pas même Mme Aguilar.

— Il ne leur est peut-être rien arrivé, suggéra Marie dans le but de dissiper les craintes de Teresa. Nous avons vu Adam Hill et ses hommes repartir seuls. Les autres ont dû s'enfuir...

Quelques minutes plus tard, ils fouillaient un sac qui contenait des t-shirts, un jeans, des jupes, des objets personnels et des photos de Claudia et de son père. Ils eurent alors la certitude que la jeune fille habitait bien là, et Marie téléphona à l'appartement en utilisant l'appareil de Mme Aguilar. Elle espérait parler à Pablo ou à Lou. Elle ne reçut aucune réponse. Inquiète, elle passa la maison des Aguilar au peigne fin dans l'espoir de découvrir un indice lui permettant de deviner où étaient allés les trois jeunes. Elle tentait tant bien que mal de se calmer. Ils étaient peut-être simplement dans la rue…

David les rejoignit plus tard, alors qu'ils inspectaient toujours les lieux. Il faisait déjà noir. David raconta qu'il avait vu les trois hommes entrer dans l'hôtel El Mesón del Marqués.

— Êtes-vous tombés sur quelque chose ? demanda-t-il à Marie.

Elle lui expliqua pour le sac. Par contre, ils ignoraient où la jeune fille se trouvait à présent, et Pablo et Lou avaient aussi disparu.

Marie se sentait épuisée. En fait, elle était surtout préoccupée. Elle se posait de plus en plus de questions. Comment Adam Hill et ses hommes faisaient-ils pour toujours être au courant de leurs faits et gestes ? Ils semblaient les suivre à la trace… Ce ne pouvait être une coïncidence qu'ils aient quitté le Pérou sur le même vol que les Sanchez. Et comment avaient-ils repéré la maison des Aguilar ? Et pourquoi s'y étaient-ils rendus en même temps qu'eux ?

Lorsqu'ils rentrèrent à l'appartement, Marie se mit

aussitôt à la recherche de micros. Elle était à présent convaincue qu'ils avaient été épiés. En effet, elle trouva rapidement ce qu'elle cherchait... Elle allait en informer David, quand Teresa lança joyeusement :

— Les jeunes sont venus ici ! Regardez, ils ont sorti de la nourriture.

Tous convergèrent vers la cuisine. Trois verres trônaient au milieu de la table, à moitié vides, à côté de sandwichs à demi entamés. Tout de suite, Marie comprit que leurs enfants, et sans doute Claudia Perez, avaient été enlevés. Elle tenait à bout de bras le dernier micro qu'elle venait d'arracher et, l'index collé sur les lèvres, elle demanda le silence.

Teresa, malgré tout, éclata en sanglots.

15

Le cauchemar des parents

Il était presque minuit lorsque David et Marie arrivèrent à l'hôtel El Mesón del Marqués. Marie se dirigea vers la réception, tandis que David se tenait à l'écart.

— Je suis Mme Hill, dit Marie, d'un ton détaché. Adam m'a demandé de l'attendre en haut. Je crois que nos deux amis logent aussi ici ?

— En effet, reconnut le réceptionniste en lui tendant la clé. Ils ne sont pas encore là...

Elle le remercia et emprunta les escaliers. David se glissa à sa suite et ils montèrent tous les deux en silence jusqu'au troisième étage.

Ils entreprirent de fouiller de fond en comble les deux chambres, qui communiquaient de l'intérieur. Le matériel d'écoute électronique était sommairement caché dans le garde-robe. David ouvrit habilement le cadenas d'une valise dans laquelle il découvrit des armes à feu. Drôles de voyageurs !

Marie inspecta chaque tiroir, puis elle vérifia les poches des chemises et des pantalons.

— Regarde ce que j'ai trouvé, dit-elle à son mari.

Il s'approcha et prit la clé qu'elle lui tendait. C'était un modèle ancien, très ancien même, et elle était rouillée aux extrémités. David l'enveloppa dans un mouchoir et la rangea dans le sac de Marie. Il entreprit ensuite de vider le contenu d'une mallette sur le lit. Il s'agissait de feuillets portant sur les codex mayas, d'un dictionnaire anglais/espagnol et de copies de contrats de location pour deux voitures. David nota la marque des véhicules, leur couleur et leur numéro d'immatriculation. Puis, ils prirent la sortie d'urgence pour éviter de passer de nouveau par la réception.

La rue était déserte. La ville dormait. Ils ne pourraient rien entreprendre avant le lever du jour. David et Marie rentrèrent tristement à l'appartement.

* * *

Environ une demi-heure plus tard, Adam Hill rentrait à son hôtel. Le réceptionniste l'informa gentiment qu'il avait donné la clé de la chambre à son épouse et qu'elle l'attendait sans doute en haut, car il ne l'avait pas revue depuis.

Hill le remercia chaleureusement, malgré l'envie qu'il avait de l'empoigner par le collet et de lui hurler aux oreilles : « On doit vérifier l'identité des gens, avant de leur donner la clé d'une chambre… Nom de Dieu, c'est élémentaire ! »

Il tourna les talons en ruminant et quitta les lieux pour rejoindre son véhicule qui était stationné quelques mètres plus loin. Dans une deuxième voiture de location, Bo, les deux mains sur le volant, attendait qu'Adam démarre. Ali, un bras tendu vers la banquette arrière, tenait trois jeunes en joue : une Canadienne, une Mexicaine et un Péruvien…

Adam aurait souhaité récupérer dans sa chambre la clé de l'*hacienda*… Il aurait dû la garder sur lui, mais il l'avait oubliée dans la poche d'un de ses pantalons. Il avait loué cet ancien ranch situé à quelques kilomètres de la ville de Valladolid au cas où ils aient besoin de battre rapidement en retraite… comme maintenant ! Mais qu'importe, il allait bien trouver le moyen de pénétrer à l'intérieur de cette vieille ferme.

Les deux voitures se mirent en marche et circulèrent l'une à la suite de l'autre, à la vitesse autorisée afin de ne pas attirer l'attention. Claudia nota qu'ils prenaient la route 180, en direction de Mérida. Elle en fit part à Pablo et à Lou, en s'adressant à eux en anglais.

— Personne ne dit un mot, cria Ali en étendant le bras pour coller la pointe du revolver sur le front de Lou.

Ils obéirent, terrifiés. Claudia reconnut le visage de l'homme qui était dans la voiture, du côté du passager, lorsque Johan avait été frappé. Elle jeta un œil au conducteur. C'était le même qui avait tué Johan.

Lou aussi s'était souvenue des deux hommes. L'un

d'eux s'était prétendu infirmier lors du séjour de Pablo à l'hôpital, et l'autre lui avait proposé un emploi de figurante.

La voiture roula sur une trentaine de kilomètres, puis elle emprunta un chemin cahoteux. La lune éclairait un vaste terrain qui ressemblait à une terre en friche. Environ 800 mètres plus loin, le véhicule s'immobilisa face à une très vieille *hacienda.*

La porte arrière s'ouvrit brusquement :

— Descendez ! lança Adam Hill, un sourire aux lèvres. On va s'amuser un peu.

Le cœur des trois jeunes ne fit qu'un tour. Ils se regardèrent et surent qu'ils pensaient tous la même chose : s'ils sortaient vivants de cette histoire… ce serait un coup de chance !

* * *

Le lendemain matin, les parents de Pablo et de Lou se rendirent à l'hôtel El Mesón del Marqués. Marie et David attendaient dans la rue pendant que Teresa et Fernando s'informaient pour savoir si « leur ami Adam Hill » avait déjà quitté les lieux.

— J'ai parlé à M. Hill cette nuit même, répondit l'homme d'une voix traînante… mais il n'est pas resté, et messieurs Jimenez ne sont pas ici. Par contre, Mme Hill doit être toujours là.

Teresa et Fernando le remercièrent. Ils rejoignirent David et Marie et leur firent part de ce qu'ils avaient appris. Marie entra dans l'hôtel à son tour et salua le réceptionniste, qui voulut savoir si elle avait bien dormi.

— Je ne vous ai pas vue passer devant moi, dit-il, surpris.

Avant qu'il n'ajoute autre chose, Marie déclara qu'elle avait besoin d'un renseignement pratique. Le réceptionniste lui désigna alors le concierge, qui était justement seul derrière le comptoir.

Marie se présenta à lui et demanda où elle pouvait trouver un bon serrurier. Il sortit une carte de la ville et y encercla un emplacement, puis il traça l'itinéraire pour s'y rendre à pied. Munis de cette information, les quatre parents se mirent en route sur-le-champ. Quelques minutes plus tard, ils entraient dans une boutique de serrurerie.

Le commis, qui semblait être le propriétaire, examina longuement la clé :

— Elle est très vieille… aux alentours 1890, annonça-t-il.

— Vous avez une idée de ce qu'elle pourrait ouvrir ?

— Une porte… Elle est trop grosse pour être une serrure d'armoire ou de coffre…

David pria Teresa de traduire sa question en espagnol :

— Est-ce qu'on utilise encore ce type de clé ?

Sans hésiter, l'homme répondit qu'on ne les retrouvait plus que dans les anciens édifices comme le couvent de San Bernardino, la Casa Cural (le presbytère)… Tout en parlant, il la tournait et la retournait dans ses mains.

— … mais je pense que celle-ci appartient à une *hacienda.*

— Il y en a beaucoup, dans les alentours ? l'interrogea Fernando.

— Pas plus d'une dizaine dont les portes n'auraient pas été rénovées.

Teresa lui demanda s'il pouvait leur en faire la liste. Le serrurier protesta, disant qu'il était occupé et qu'il avait une famille à nourrir. Teresa lui expliqua que leurs enfants avaient disparu et que cette clé était le seul indice dont ils disposaient pour les retrouver. L'homme, compatissant, sortit alors une feuille et un crayon et se mit à l'œuvre. Pendant ce temps, David choisissait toute une panoplie d'articles. Il y en avait pour au moins cent dollars. C'était sa façon de remercier cet homme pour son aide.

* * *

Le soleil était déjà haut dans le ciel et ils faisaient toujours route vers Tabi.

Claudia n'avait pas hésité à révéler l'endroit où était caché le codex que la famille Perez conservait jalousement. En voyant Lou et Pablo en danger de mort, elle avait parlé. Elle avait promis à Adam Hill de l'amener jusqu'au document, à la condition qu'aucun mal ne leur soit fait.

Les trois adolescents regardaient la route défiler. Ils étaient affamés. On ne leur avait rien donné à boire ou à manger. Ils n'avaient eu droit qu'à quelques secondes pour passer, chacun à leur tour, à la salle de bain avant de poursuivre le voyage vers Tabi.

Lou avait inspecté la pièce rapidement. Elle ne comportait aucune fenêtre, mais elle était décorée d'une rangée de pots en grès posés sur une étagère, dans lesquels poussaient des cactus. Lou s'était emparée du morceau de savon qui reposait près du lavabo et avait fait pivoter l'un d'eux pour écrire, en lettres majuscules : TABI. Elle avait ensuite remis le pot en place et était sortie rejoindre les autres. Elle avait confiance en ses parents… Ils allaient trouver quelque chose qui les mènerait ici et, de l'*hacienda,* jusqu'à eux.

La voiture traversa enfin le village de Tabi. Bientôt, Claudia demanda au conducteur de tourner à gauche sur une petite route à moitié envahie par la verdure.

— À partir de maintenant, il faut continuer à pied, dit-elle.

À la queue leu leu, ils marchaient sous un soleil de plomb. Les adolescents suivaient leurs ravisseurs, les poignets attachés dans le dos. Claudia leur montra un mur de végétation :

— C'est par là… mais vous devez d'abord nous détacher, on aura besoin de nos deux mains pour ne pas perdre l'équilibre.

Adam évalua la situation. Il n'y avait aucune chance qu'ils s'évadent, avec Bo et Ali qui les tenaient en joue. Il ordonna donc aux deux frères de leur retirer les liens.

Bo coupa les cordes qui enserraient les poignets de Claudia et des deux autres. La fille de Benito Perez s'avança jusqu'au mur et enfonça son bras entre les branches. Elle poussa… et une partie de la paroi glissa pour révéler un passage.

C'était en fait un simple panneau de bois sur lequel le lierre courait, le faisant se confondre avec le reste du mur.

Un à un, ils se faufilèrent dans l'ouverture. Claudia avertit Adam de ne pas refermer la porte, car ils ne pourraient pas l'ouvrir de l'intérieur. Il obéit et ils continuèrent leur route sur un étroit sentier vaseux qui longeait un ravin très profond. Une rampe de cordage permettait de conserver l'équilibre.

Au bout d'un moment, ils atteignirent un puits circulaire. Un cénote, sans doute, pensa Lou. Ses parois étaient lisses et l'eau s'élevait jusqu'à environ un mètre du bord. Lou se dit que s'il devait être facile d'y entrer en sautant à l'intérieur, il était probablement impossible d'en sortir sans l'aide de quelqu'un.

— Le codex est caché dans la pierre, juste en dessous

du niveau de l'eau, dans un étui hermétique, déclara Claudia.

Puis elle murmura presque imperceptiblement, à l'intention de Pablo et de Lou :

— Ce cénote est très profond...

Les hommes ne l'entendirent pas, trop occupés à observer le puits à la surface duquel flottait une couverture de feuillages.

Adam Hill reporta son attention sur Claudia. Il semblait réfléchir au meilleur moyen de remonter la pièce.

— Toi, lâcha-t-il durement en désignant Lou. Tu entres là-dedans et tu nous le rapportes.

Pablo s'interposa. Il voulait le faire à sa place. Bo l'avertit de se tenir tranquille.

— Mais... comment puis-je descendre ? demanda Lou d'une voix tremblante.

Cet endroit lui paraissait dégoûtant.

— Je vais t'aider, dit Pablo en enlevant son t-shirt.

Il le tordit et y fit trois nœuds, puis il y attacha une des extrémités de sa ceinture. Claudia lui tendit un chandail, qu'il fixa à l'autre bout. Il obtint ainsi un genre de corde qui lui sembla suffisamment longue.

Adam Hill les avait laissé faire. Après tout, il avait tout intérêt à ce que la jeune fille ne se blesse pas en descendant dans le cénote.

Lou se mit à genoux, les pieds vers le puits, ventre contre terre. Pablo lui murmura rapidement :

— Rappelle-toi : « Là où les hommes deviennent des dieux ! »

Adam lui cria de se taire. Il avait cru entendre le mot *dieu*. Le garçon faisait sans doute une prière, en français… mais ce n'était pas le moment.

Pendant que Lou se glissait dans l'eau, Pablo ajouta :

— On doit vaincre Ah Puch.

— Tu es déjà là, lâche la corde, ordonna Adam.

Lou battait des jambes à toute vitesse pour que sa tête et ses épaules émergent du feuillage qui flottait autour d'elle, donnant l'impression qu'elle touchait au fond.

— Ce n'est même pas creux, cria-t-elle. Et l'eau est plutôt agréable…

— Cherche le codex, articula Adam d'un ton sec.

Lou tâta le contour du cénote. Elle peinait à se maintenir à la surface. Il ne fallait surtout pas que les hommes sachent qu'elle était loin d'avoir un appui au fond.

— Je n'arrive pas à le sortir d'ici, lança-t-elle. C'est trop difficile ! Je ne suis pas assez forte !

Adam, fatigué de toutes ces singeries, ordonna à Pablo de tendre sa corde improvisée à son amie pour la remonter. Il allait s'en occuper lui-même.

— Ouf ! s'exclama Lou en mettant pied à terre, ça fait quand même du bien de se rafraîchir.

Elle avait parlé en espagnol, et assez fort pour que tous l'entendent.

Bo proposa à son patron de l'aider à descendre. Ce dernier lui répondit qu'il n'était pas une mauviette. Il retira sa chemise et, comme il était en short, sauta tout d'un coup dans le puits… et disparut sous l'eau.

— Au secours, cria-t-il lorsqu'il parvint à sortir la tête de l'eau. Je ne sais pas bien nager… Bo… viens m'aider. Ali…

Ses deux acolytes costaricains s'étendirent aussitôt à plat ventre à côté du cénote. Ils tendaient les bras pour tenter de saisir leur patron. Dans la confusion, ils avaient posé leurs armes. Lou s'en empara sans un mot, tandis que Pablo ramassait leurs affaires.

Claudia leur fit signe de se dépêcher et de la suivre. Ils coururent aussi vite que possible le long du sentier vaseux et glissant pour la rejoindre.

— Au secours, au secours ! entendaient-ils toujours derrière eux.

Bo et Ali devraient user d'imagination pour sortir leur patron de cette mauvaise posture !

Lou, Claudia et Pablo atteignirent la porte couverte de feuillages, la franchirent et la refermèrent solidement derrière eux.

— C'est vrai qu'on ne peut pas l'ouvrir de l'intérieur ? demanda Lou.

— Oui, confirma Claudia. Ne t'inquiète pas, ils ne vont pas nous suivre.

Ils gagnèrent l'endroit où étaient garées les voitures.

16

Le codex des Perez

Pendant que Fernando communiquait avec les forces de l'ordre de Valladolid, David acheta des bouteilles d'eau à la *Tienda Rosa*, le seul dépanneur de Tabi. Les adolescents n'avaient rien bu ni rien mangé depuis près de 24 heures… Ils s'assirent ensuite sur des bancs publics, face au commerce, et Teresa commença à dresser une liste des points à mentionner aux policiers. Alors qu'elle les énumérait, Pablo les prenait en note :

— Adam Hill et les frères Jimenez sont responsables de la mort d'au moins trois personnes : Benito Perez, son père…

— Mon grand-père s'appelait José Perez, intervint Claudia.

— Merci ! … ainsi que de celle d'un employé de John Abbot, continua Teresa.

D'une voix tremblante d'émotion, Claudia les informa qu'elle avait reconnu les visages des frères Jimenez. Ils étaient dans la voiture qui avait frappé Johan. Et cela n'avait rien d'un accident.

— Alors, cela fait quatre meurtres…, murmura Teresa. Sans parler de votre enlèvement et des voies de fait sur Pablo. Nous leur remettrons le morceau de glyphe. Les empreintes du coupable se trouvent peut-être dessus.

Le topo terminé, Lou demanda à Claudia :

— Et le codex ?

— Je ne crois pas qu'Adam Hill soit parvenu à le déloger, déclara Claudia. C'est très difficile, et le niveau d'eau est trop haut. De toute façon, c'est un faux ! ajouta-t-elle, avec un sourire en coin.

Au cours des prochains jours, elle irait récupérer le véritable codex. Fernando proposa de l'aider, et elle accepta avec plaisir.

— J'aimerais le donner en main propre au Musée national d'anthropologie de Mexico, poursuivit-elle. Mais je dois d'abord rencontrer Ricardo Estrella. C'était le souhait de mon père. Il pensait que cet homme pourrait mettre sur pied un comité international formé d'experts en archéologie chargés de divulguer le contenu du document.

Fernando lui promit de communiquer avec son confrère aussitôt qu'ils regagneraient Valladolid. Quand le professeur apprendrait que le codex avait été retrouvé, il sauterait dans le premier avion pour le Mexique !

— Et moi, j'appellerai Ernesto Quispe, proposa David. Anna, Esteban et lui seront très heureux de connaître la conclusion de cette affaire.

— Ils sont enfermés dans le cénote, répondit Claudia. Suivez-moi…

Une demi-heure plus tard, les membres des deux familles contemplaient les trois individus menottés qu'on embarquait sans ménagement pour les conduire à la prison de Valladolid. Teresa avait donné aux autorités le petit bilan qu'ils avaient dressé. Ils iraient au poste plus tard pour faire leur déposition.

Le chauffeur de taxi, qui n'avait pas voulu repartir, trop heureux d'assister à de pareils événements, appela un de ses confrères pour ramener tout le groupe à Valladolid.

Dans l'une des voitures se trouvaient Lou, Marie et David et, dans l'autre, s'entassaient Claudia, Pablo, Teresa et Fernando. Alors qu'ils quittaient Tabi, Claudia leur raconta comment ce village avait réussi à s'adapter aux changements climatiques.

— Ils sont peu dans le monde à avoir pris ce genre de virage, commenta Pablo, toujours préoccupé par l'écologie.

— Il n'y a pas si longtemps, dit Claudia, les habitants de Tabi brûlaient des parcelles de la forêt pour ensuite y semer et y cultiver. Après deux récoltes, la terre était devenue trop pauvre, les forçant à incendier une zone voisine. Puis, ils se sont rendu compte qu'ils n'auraient bientôt plus d'arbres, ce qui engendrerait bien sûr des problèmes graves. Ils ont alors créé des champs permanents et ont organisé une rotation des plantations pour ne pas appauvrir le sol. Celui qui a dicté le codex aux scribes, à l'époque des cités mayas, serait content d'entendre cela.

Voyant que les autres ne comprenaient pas, elle ajouta :

— Je vous expliquerai...

Une heure plus tard, les deux taxis s'arrêtaient près de la maison de Mme Aguilar. Elle était toujours réfugiée chez une voisine. En apercevant Claudia, elle se précipita dehors et la serra dans ses bras. Claudia lui apprit que le cauchemar était terminé. On avait capturé les responsables de la mort de son fils. Et elle allait maintenant pouvoir retourner habiter dans l'appartement de son père. Mme Aguilar s'y opposa farouchement, disant qu'elle faisait dorénavant partie de la famille.

— Suivez-moi, je vous prépare quelque chose à boire, annonça-t-elle.

Pendant qu'ils s'installaient dans le salon de la dame, Fernando expliqua à Claudia qu'on lui donnerait une bonne somme d'argent pour le codex.

— Je n'avais pas prévu réclamer quoi que ce soit, déclara Claudia, surprise.

— Il n'est pas question que tu ne reçoives rien.

— Tu en auras besoin pour payer tes études et aider Mme Aguilar, lui dit Marie.

Pendant que Teresa s'affairait avec la vieille dame à la

cuisine, Pablo demanda à Claudia où se trouvait le véritable codex.

— Dans le cénote Sis-Ha du couvent de San Bernardino, répondit-elle en riant... Des milliers de visiteurs passent à côté chaque année.

— Et... pas de trésor ? soupira Lou en souriant malgré tout.

— Mais oui, il y en a un ! Dans le document, on raconte que 156 tablettes d'or ont été englouties au fond du lac Izabal, puis repêchées... Le précieux métal a été ensuite chargé sur un bateau qui a coulé, quelque part au large de l'île de Cozumel.

Pablo ouvrit grand les yeux.

— Cette information doit rester entre nous, l'avertit Claudia, car elle n'apparaît pas dans le codex !

— Tu le chercheras un jour, ce trésor ? demanda Pablo.

— Non... mais je transmettrai le secret à mes enfants. Ce sera une occasion de leur apprendre qu'aucun de leurs ancêtres n'a voulu se l'approprier. Parce que l'or n'achète pas le plus important... Au contraire, c'est un métal très lourd, et pas seulement à cause de son poids. Mon grand-père disait que lorsqu'on est trop chargé, on ne peut plus avancer.

Teresa et Mme Aguilar revinrent au salon.

Soulagés, Marie et David observaient Lou, Pablo et Claudia. Ils ne comprenaient pas un mot de leur discussion, qui se déroulait en espagnol, mais qu'importe ! Ils savaient qu'ils avaient réussi à sauver Lou et Pablo, et à secourir la jeune fille... c'était le plus important.

Lou tenait la main de son amoureux. Bientôt, la vie allait reprendre son cours normal.

Pendant ce temps, Claudia racontait aux autres que le codex contenait des renseignements pour soigner toutes sortes de maladies et plusieurs cartes du ciel. Elles n'étaient cependant plus à jour, vu les avancées modernes en astronomie. Il parlait aussi de la « mémoire de l'eau », une notion que personne de sa famille n'avait réussi à comprendre... Elle se promettait de faire des recherches plus tard sur cette question.

Les passages les plus importants, toutefois, étaient ceux qui traitaient de la chute de l'empire maya.

Pendant plusieurs années, une grande sécheresse avait sévi dans le royaume. Ce n'était pas la première, et les Mayas auraient pu survivre si seulement ils avaient changé leurs habitudes. Mais ils avaient continué à couper les arbres dans le seul but de décorer les temples. Plutôt que d'économiser l'eau, ils l'avaient gaspillée... Comme ils virent à manquer de nourriture, ils se mirent à se battre entre eux pour s'approprier les quelques réserves, ce qui causa leur perte. Pourtant, il leur aurait été facile d'opter pour une agriculture qui aurait requis moins de pluies...

— Aujourd'hui, je sais qu'on a inventé un mot pour

décrire ce qu'ils ont fait... On appelle ça un « écocide », expliqua Claudia. C'est le nom qu'on donne à la destruction de l'environnement par la surexploitation des ressources.

Pablo se disait que le même problème se posait en ce moment en Amazonie...

— Pourquoi les membres de ta famille ont-ils gardé le secret du codex pendant si longtemps ? demanda Lou.

— Ils prétendaient que nos dirigeants n'étaient pas prêts à remettre en question leurs manières de faire et à les modifier, bref, à agir intelligemment... Par exemple, en trouvant de nouvelles sources d'énergie pour remplacer le pétrole. Et surtout, en cessant immédiatement le gaspillage des ressources. Mon père et mon grand-père pensaient que les jeunes d'aujourd'hui seraient plus aptes à innover. Alors, ils ont décidé de leur révéler le contenu du codex.

Elle expliqua que Benito Perez et son père étaient fascinés par les garçons et les filles qui communiquent constamment entre eux sur Internet. Ils avaient remarqué que, lorsqu'ils s'unissaient, ils devenaient une force incroyable. Avec eux, la planète perdait ses frontières.

— Mon père, ajouta Claudia, était convaincu que notre génération allait accepter de changer, justement parce que nous sommes moins repliés sur nous-mêmes... Parce que nous sommes des citoyens du monde !

Pablo et Lou hochaient la tête. Ils se sentaient particulièrement concernés.

— Le noble qui a dicté le texte, conclut Claudia, croyait qu'on ne devait jamais reproduire les mêmes erreurs à travers les siècles. C'est pour cela qu'il a fait consigner dans le codex le récit de l'écocide provoqué par les Mayas. Les hommes et les femmes, disait-il, doivent apprendre de l'histoire et se réclamer de la liberté de changer.

Pablo pensait au courriel qu'il allait envoyer à ses amis écologistes. On avait maintenant la preuve qu'une civilisation pouvait mourir à cause de mauvais choix.

Comme jamais auparavant, Pablo sentait l'importance des luttes pour la protection de l'environnement. Avec son groupe de militants écologistes, il ferait connaître à travers les réseaux sociaux le récit de la décadence maya. Restait à trouver une façon originale de le faire… Il travaillerait avec Lou, au Canada, et avec Claudia, au Mexique, en espérant que d'autres jeunes en Europe, en Asie et en Afrique aient envie de se joindre à eux.

Après tout, ils étaient à distance… de clavier !

Et l'avenir leur appartenait.

Note au lecteur

Je me suis inspirée de faits historiques pour écrire ce roman. Par contre, certains héros sont imaginaires. Si le souverain Pakal a bien existé, ainsi que sa mère, le personnage de Uo a été inventé. Il explique ce qui s'est peut-être produit pour qu'on élève un jour un homme au rang des dieux.

Trois codex mayas ont été sauvés de la destruction et ils sont conservés dans les lieux indiqués dans le livre.

Le village de Tabi, au Mexique, a bel et bien innové en choisissant des modes d'exploitation agricole qui respectent l'environnement.

L'hypothèse selon laquelle l'effondrement de la civilisation maya, entre 790 et 910 de notre ère, ait été provoqué par un désastre écologique est maintenant largement partagée par la communauté scientifique.

Crédits et remerciements

Les Éditions du Boréal reconnaissent l'aide financière du gouvernement du Canada par l'entremise du Fonds du livre du Canada (FLC) pour leurs activités d'édition et remercient le Conseil des arts du Canada pour son soutien financier.

Les Éditions du Boréal sont inscrites au Programme d'aide aux entreprises du livre et de l'édition spécialisée de la SODEC et bénéficient du programme de crédit d'impôt pour l'édition de livres du gouvernement du Québec.

L'auteure remercie le Conseil des arts du Canada pour son soutien.

Couverture : Pascale Crête

EXTRAIT DU CATALOGUE

Boréal Junior

1. Corneilles
2. Robots et Robots inc.
3. La Dompteuse de perruche
4. Simon-les-nuages
5. Zamboni
6. Le Mystère des Borgs aux oreilles vertes
7. Une araignée sur le nez
8. La Dompteuse de rêves
9. Le Chien saucisse et les Voleurs de diamants
10. Tante-Lo est partie
11. La Machine à beauté
12. Le Record de Philibert Dupont
13. Le Bestiaire d'Anaïs
14. La BD donne des boutons
15. Comment se débarrasser de Puce
16. Mission à l'eau !
17. Des bleuets dans mes lunettes
18. Camy risque tout
19. Les parfums font du pétard
20. La Nuit de l'Halloween
21. Sa Majesté des gouttières
22. Les Dents de la poule
23. Le Léopard à la peau de banane
24. Rodolphe Stiboustine ou L'enfant qui naquit deux fois
25. La Nuit des homards-garous
26. La Dompteuse de ouaouarons
27. Un voilier dans le cimetière
28. En panne dans la tempête
29. Le Trésor de Luigi
30. Matusalem
31. Chaminet, Chaminouille
32. L'Île aux sottises
33. Le Petit Douillet
34. La Guerre dans ma cour
35. Contes du chat gris
36. Le Secret de Ferblantine
37. Un ticket pour le bout du monde
38. Bingo à gogos
39. Nouveaux contes du chat gris
40. La Fusée d'écorce
41. Le Voisin maléfique
42. Canaille et Blagapar
43. Le chat gris raconte
44. Le Peuple fantôme

45. Vol 018 pour Boston
46. Le Sandwich au nilou-nilou
47. Le Rêveur polaire
48. Jean-Baptiste, coureur des bois
49. La Vengeance de la femme en noir
50. Le Monstre de Saint-Pacôme
51. Le Pigeon-doudou
52. Matusalem II
53. Le Chamane fou
54. Chasseurs de rêves
55. L'Œil du toucan
56. Lucien et les ogres
57. Le Message du biscuit chinois
58. La Nuit des nûtons
59. Le Chien à deux pattes
60. De la neige plein les poches
61. Un ami qui te veut du mal
62. La Vallée des enfants
63. Lucien et le mammouth
64. Malédiction, farces et attrapes !
65. Hugo et les Zloucs
66. La Machine à manger les brocolis
67. Blanc comme la mort
68. La forêt qui marche
69. Lucien et la barbe de Dieu
70. Symphonie en scie bémol
71. Chasseurs de goélands
72. Enfants en guerre
73. Le Cerf céleste
74. Yann et le monstre marin
75. Mister Po, chasseur
76. Lucien et les arbres migrateurs
77. Le Trésor de Zanlepif
78. Brigitte, capitaine du vaisseau fantôme
79. Le Géant à moto avec des jumelles et un lance-flammes
80. Pépin et l'oiseau enchanté
81. L'Hiver de Léo Polatouche
82. Pas de poisson pour le réveillon
83. Les Contes du voleur
84. Le Tournoi des malédictions
85. Saïda le macaque
86. Hubert-Léonard
87. Le Trésor de la Chunée
88. Salsa, la belle siamoise
89. Voyages avec ma famille
90. La Bergère de chevaux
91. Lilou déménage
92. Les géants sont immortels
93. Saucisson d'âne et bave d'escargot
94. Les Rats de l'Halloween
95. L'Envol du dragon
96. La Vengeance d'Adeline Parot
97. La Vraie Histoire du chien de Clara Vic
98. Lilou à la rescousse
99. Bibitsa ou L'étrange voyage de Clara Vic
100. Max au Centre Bell
101. Les Ombres de la nuit
102. Max et la filature
103. Mesures de guerre
104. En mai, fais ce qu'il te plaît
105. Max et le sans-abri
106. Amour de louve
107. La Forêt des insoumis
108. Max et Freddy la terreur
109. Un été à Montréal
110. Adieu mon beau chalet
111. Max et la belle inconnue

Boréal Inter

1. Le raisin devient banane
2. La Chimie entre nous
3. Viens-t'en, Jeff !
4. Trafic

5. Premier But
6. L'Ours de Val-David
7. Le Pégase de cristal
8. Deux heures et demie avant Jasmine
9. L'Été des autres
10. Opération Pyro
11. Le Dernier des raisins
12. Des hot-dogs sous le soleil
13. Y a-t-il un raisin dans cet avion ?
14. Quelle heure est-il, Charles ?
15. Blues 1946
16. Le Secret du lotto 6/49
17. Par ici la sortie !
18. L'assassin jouait du trombone
19. Les Secrets de l'ultra-sonde
20. Carcasses
21. Samedi trouble
22. Otish
23. Les Mirages du vide
24. La Fille en cuir
25. Roux le fou
26. Esprit, es-tu là ?
27. Le Soleil de l'ombre
28. L'étoile a pleuré rouge
29. La Sonate d'Oka
30. Sur la piste des arénicoles
31. La Peur au cœur
32. La Cité qui n'avait pas d'étoiles
33. À l'ombre du bûcher
34. Donovan et le secret de la mine
35. La Marque des lions
36. L'Or blanc
37. La Caravane des 102 lunes
38. Un grand fleuve si tranquille
39. Le Jongleur de Jérusalem
40. Sous haute surveillance
41. La Déesse noire
42. Nous n'irons plus jouer dans l'île
43. Le Baiser de la sangsue
44. Les Tueurs de la déesse noire
45. La Saga du grand corbeau
46. Le Retour à l'île aux Cerises
47. Avant que la lune ne saigne
48. Lettre à Salomé
49. Trente-neuf
50. BenX
51. Paquet d'os et la Reine des rides
52. Les Belles Intrépides
53. Le Château des Gitans
54. L'Exode des loups
55. La Mauvaise Herbe
56. Une bougie à la main
57. 21 jours en octobre
58. Le Toucan
59. Les Années de famine
60. La Révolte
61. Sans consentement
62. Destins croisés
63. Les Oies sauvages

Voyage au pays du Montnoir

1. La Ville sans nom
2. L'Énigme des triangles
3. La Dame à la jupe rouge

Ce livre a été imprimé sur du papier 100 % postconsommation,
traité sans chlore, certifié ÉcoLogo
et fabriqué dans une usine fonctionnant au biogaz.

MISE EN PAGES ET TYPOGRAPHIE :
LES ÉDITIONS DU BORÉAL

ACHEVÉ D'IMPRIMER EN MARS 2014
SUR LES PRESSES DE L'IMPRIMERIE GAUVIN
À GATINEAU (QUÉBEC).